DRWS AGORED

CANMLWYDDIANT
CARTREF BONTNEWYDD

GARETH MAELOR

GWASG PANTYCELYN

ISBN 1-903314-44-5

Dymuna'r cyhoeddwyr gydnabod cymorth Cyngor Llyfrau Cymru
ac Eglwys Bresbyteraidd Cymru.

Cyhoeddwyd ac argraffwyd gan
Wasg Pantycelyn, Caernarfon

DRWS AGORED

CANMLWYDDIANT
CARTREF BONTNEWYDD

CYNNWYS

GAIR O DDIOLCH

Heb anogaeth Ymddiriedolwyr Cartref Bontnewydd ni fuaswn wedi mynd ati i ysgrifennu hanes y Cartref. Rwyf yn diolch heddiw am yr anogaeth hon. Roedd yn rhaid hefyd wrth barodrwydd Gwasg Pantycelyn i gyhoeddi'r gyfrol. Felly, diolch o galon i'r gyfarwyddwraig June Jones a'r staff am eu brwdfrydedd a'u llafur, ac i'r Swyddog Cyhoeddi, R. Maldwyn Thomas, am fod wrth fy mhenelin yn fy nghynghori'n aml.

Mae fy nyled yn fawr iawn hefyd i J. Elwyn Hughes am ddarllen y gwaith a chywiro sawl gwall, a gwerthfawrogaf arweiniad a chefnogaeth Adran Olygyddol Cyngor Llyfrau Cymru.

Wrth ddethol rhai o'r lluniau bu'n rhaid i mi wrth gamera a dawn Gerallt Llewelyn, a gallu Malcolm Lewis i ddylunio'r clawr a rhoi trefn ar luniau'n dyddio'n ôl i ddechrau'r ganrif ddiwethaf. Cefais rai lluniau gan Hilda E. Roberts, Iorweth Llewelyn Griffith ac Owen Gwyn Jones. Diolch iddynt ill tri. Ni fedrwn fod wedi cael gwell tywysydd wrth grwydro ardal Gwaun Gyfni nag Arwel Jones (Hogia'r Wyddfa).

Roedd cyn-blant y Cartref yn fwy na pharod i fwrw eu hatgofion, ac fe'u henwir oll yn y llyfr. Mawr fy niolch iddynt. Mae'r atgofion hyn fel anadl bywyd ac yn rhychwantu holl hanes y Cartref o'i ddechreuad – atgof i bob degawd o flynyddoedd hyd at amser Emrys a Menna Thomas fel Wardeiniaid. Diolch iddynt hwythau ill dau am ysgrifennu hanes eu cyfnod hwy mor fanwl. Yr un mor werthfawr yw'r bennod *Stigma Plant Y Plwyf* a ysgrifennwyd ar fy nghais gan Dafydd Llewelyn Jones, arbenigwr ar hanes y tlotai yng Nghymru a Deddf y Tlodion.

Cyfansoddwyd y cywydd i Gartref Bontnewydd gan y Prifardd Gerallt Lloyd Owen ar achlysur dathlu tri chwarter canrif y Cartref. Diolch iddo yntau am ei ganiatâd i'w ddefnyddio'r eilwaith, fel y bo bellach ar gof a chadw. Mae *Drws Agored*, teitl y gyfrol, yn deillio'n naturiol o'r cywydd hwn:

>Drws angen, drws ieuengoed,
>A drws nas caewyd erioed.

Bellach:

>Un drws i bawb dros y byd.

GARETH MAELOR

CYFLWYNIAD

I holl blant Cartref Bontnewydd,
ac er cof am Anwen
a fu farw'n fam ifanc dair ar hugain oed,
ddydd Calan, 2000.

1. AGOR Y DRWS

Yn naear y Bontnewydd
Maen ar faen yn sylfaen sydd:
Yn sylfaen i breswylfod,
Yn sail Duw i'n byw a'n bod;
Ac ym meini'r gymwynas
Y mae'r grit ynghlwm i'r gras.

Yn ias oerni eu siwrnai
Mae dôr ar agor i rai
Diaelwyd; o heolydd
Eu dyrys hynt un drws sydd:
Drws angen, drws ieuengoed,
A drws nas caewyd erioed.

Y Prifardd Gerallt Lloyd Owen

Agorwyd y drws hwnnw gyntaf erioed ar y chweched o Fawrth 1902 ac roedd briallu Ebrill wedi blodeuo'n gynnar i groesawu'r gwanwyn. I blant amddifaid ar drothwy'r ugeinfed ganrif, roedd agor y drws hwn, fel y briallu, yn darogan dyddiau gwell.

Mae atgofion y plant a gamodd dros riniog y drws yn amrywiol a diddorol – y rhan fwyaf ohonynt yn canmol a rhyw ychydig yn cwyno, a hawdd deall hynny. Yn nechrau'r ganrif, o ddyddiau'r Rhyfel Byd Cyntaf hyd yr Ail, roedd stamp y cyfnod ar Gartref Bontnewydd fel ar bob cartref arall i'r amddifaid. Fel y dywed Saunders Lewis, 'rhodd enbyd yw bywyd i bawb', ac yn arbennig felly i blant a amddifadwyd o gariad mam a thad oherwydd profedigaeth ac a orfodwyd, oherwydd amgylchiadau creulon, i gefnu ar glydwch a sicrwydd aelwyd. Ydi, mae'n hawdd deall paham nad yw pob atgof yn felys. Ond, ar y llaw arall, fel y tystia un o blant y tri degau cynnar, 'Roedd hi'n well arnom ni, blant y Cartra', nag ar lawer iawn o'n cyfoedion'.

Do, bu agor drws y Cartref y prynhawn braf hwnnw o Fawrth 1902 yn gymwynas i lu mawr o blant ac mae i stori'r dechrau pell hwnnw y naws a geir yn nofelau Daniel Owen.

2. TUA'R LLE BU DECHRAU'R DAITH

I Robert Ellis (Cynddelw), y Berwyn oedd dechrau'r daith:

> Tua'r lle bu dechrau'r daith
> Af yn ôl i fy nylaith.

I Robert Ellis arall, tad Robert Bevan Ellis, sylfaenydd Cartref Bontnewydd, ardal Gwaun Gynfi oedd y man cychwyn. Mewn traethawd buddugol ar Waen Gynfi yng nghystadleuaeth Undeb Llenyddol Deiniolen, Nadolig, 1868 (*Gwaun Gynfi*, David M. Jones, Clwt-y-Bont, 1868), dywedir bod yr ardal

> . . . yn lled aflunaidd, trwy gymryd y mynyddoedd a'r moelydd, &c., a enwyd yn derfynau iddi ... A thua dechreu y ganrif hon a chynt, nid oeddyn amgen na diffaethwch gwag erchyll, fel yr awgrymwyd; a'r holl fasnach a wneid ohoni oedd cadw ychydig ferlod gan hwn ac arall, i gario grug ac ychydig fawn ohoni i Gaerynarfon. Gellid gweled dwsin neu fwy o wragedd a phlant gyda'u merlyn bob un, a dau swp o rug, un o bob tu iddo, yn crogi wrth ddau gorn yr ystrodyr a fyddai ar ei gefn; a rhwng y ddau swp grug y byddai swpyn bychan o fawn, a'r cyfan wedi eu rhwymo a rheffynau o bilion pabwyr; ac felly cyraeddant Gaerynarfon erbyn tua haner dydd neu gynt, lle y byddai y farchnad arnynt braidd yn feunyddiol; ac oddi wrth y drafodaeth hon y deilliodd yr enw Clwt-y-Mawn (Turf Square) yn Caerynarfon. Y gwragedd da, a'r plant, a fyddai gyda'r drafodaeth hon, trwy fod y gwŷr wedi dechrau ar drafodaeth erbyn hyn, sef gyda'r llech-feini (*slates*). Defnyddiwn ddyfyniad o waith Gutyn Peris, ar yr amgylchiad, sef,

> Y gwŷr yn gweithio trwy y dydd,
> A gruga bydd y gwragedd;
> Ni chânt hwy, druain, unrhyw dro,
> Ddim ond a dyno'u dannedd.

Dyna'r cyfnod pryd y daeth Thomas Assheton Smith yn berchennog ar stad y Faenol. Bu'n gyfrifol am gau'r comin a olygai ddiwedd y chwareli bychain preifat. Datblygodd yntau'r diwydiant llechi ac roedd yn allforio llechi o borthladd bach y Felinheli i bellafoedd byd. Yn sgil diwydiant y garreg las, bu cynnydd aruthrol ym mhoblogaeth y fro. Y chwareli oedd ffon fara mwyafrif y trigolion ac roedd rhaid cael pob math o grefftwyr eraill i gynnal cymdeithas o'r fath. Rhoddodd y llwyddiant diwydiannol hwn fodolaeth i sawl siop a masnach.

Ceir disgrifiad o dirwedd yr ardal gan y diweddar Alun Llywelyn Williams yn ei gyfrol *Crwydro Arfon*:

> Wedi dringo allan o Nant y Garth, â'r ffordd ymlaen dros wrymiau'r tir agored tua'r mynyddoedd ac, o'i dilyn i'r pen draw, fe ddeuwn o'r diwedd i Ddeiniolen, pentre chwarelyddol ar chwâl dros chwe chan troedfedd i fyny ar y llethrau noeth rhwng Moel Rhiwen a Mynydd Eilidir.

Yno, ar y llethrau uwchben Deiniolen a Chlwt-y-Bont, lle bu dechrau'r daith, ar linell 2,200 troedfedd uwchlaw lefel y môr, mae chwarel Marchlyn. O edrych oddi yno tua'r gorllewin, ceir golygfa werth chweil.

I'r chwith, uwch chwarel Glynrhonwy, yn y bwlch rhwng Moel Eilio a Mynydd Cefn Du, gwelir yn y pellter gorun un o fynyddoedd yr Eifl. I'r dde wedyn, ceir cip ar Fynydd Caergybi ym mhen draw'r ynys. Yn y canol, fel petai, mae llwyfandir, sef gwastadeddau Llanrug, ac islaw iddynt ar eu cwr gwelir tref Caernarfon a thyrau'r castell. Y tu hwnt i'r castell, mae trwyn y Foryd a chaer Belan ar un ochr a thraeth melyn Llanddwyn ac Ynys Môn yr ochr arall, a rhyngddynt aber Menai, a'r afon yn ymestyn tua'r gorwel. Ar noson glir hydrefol, gellir gweld Mynyddoedd Wicklow y tu draw i'r gorwel. I'r sawl sy'n dringo'n uchel, mae modd gweld ymhell iawn o lethrau Mynydd yr Eilidir.

'Mae darnau ohonof ar wasgar hyd y fro', meddai T. H. Parry Williams yn ei gerdd 'Bro' ac mae'n siŵr bod pridd a chreigiau ardal chwarelyddol fel Gwaun Gynfi, cadernid ei mynyddoedd a chysgod y tomennydd rwbel yn rhoi rhuddin personoliaeth a gwydnwch cymeriad i'w thrigolion. Heb amheuaeth, magwyd pobl felly yn ardal Gwaun Gynfi, ac ambell un ohonynt yn gweld ymhell. Yno y bu dechrau'r daith i Robert Bevan Ellis ac aeth ymhell iawn mewn mwy nag un ystyr.

3. DAU O'R UN ENW

Robert oedd enw'r naill a'r llall – y tad a'r mab fel ei gilydd. Dau o'r un enw a hefyd o'r un anian.

> Hysbys y dengys pob dyn
> O ba radd y bo'i wreiddyn.

Roedd hyn yn berffaith wir am Robert Bevan Ellis. Roedd yntau, fel ei dad, y Parchedig Robert Ellis, yn ŵr cydwybodol gydag egwyddorion cadarn. Heb unrhyw amheuaeth, roedd yn giw o frid a gwreiddyn y mater ganddo yn union fel ei dad. Oni bai am Robert Bevan Ellis, ni fyddai Cartref Bontnewydd yn bod o gwbl. Ni fyddai yntau chwaith wedi cael ei weledigaeth oni bai am ei fagwraeth a'i etifeddiaeth. Felly, wrth olrhain hanes Cartref Bontnewydd, mae'n rhaid mynd yn ôl at y tad, y Parchedig Robert Ellis. Ceir portread byw a chryno ohono yn *Cartre'r Plant* gan y Parchedig Richard Thomas:

> Un o frodorion Gwaun Gynfi oedd Robert Ellis, Ysgoldy, a gwyddai pobl yr oes o'r blaen yn dda pwy oedd hwnnw. Un o Harlech, Sir Feirionnydd, oedd ei fam ac, yn sicr, ni ddaeth, hyd yn oed o'r Sir honno, amgenach gwraig yn ôl tystiolaeth Robert Ellis ei hun. Gwelodd Robert Ellis, pan oedd yn ieuanc iawn, draha a gorthrwm ysweiniaid ynglŷn â helynt cau'r mynydd.

Byddai'r hanes arbennig hwnnw yn gefndir rhagorol i raglen deledu – gwnâi ffilm hanesyddol gyffrous gan fod i'r hanes ddeunydd golygfeydd penigamp:

- Gwladwyr cyffredin yn ymlafnio i gael porfa o'r mawndir mynyddig ac yn adeiladu cartref ar y tir comin, a Robert Ellis Evans, tad Robert Ellis, yn un ohonynt.
- John Evans, cyfreithiwr T. Assheton Smith, yswain y Faenol, yn dod i'r ardal gyda bagad o ddilynwyr i ddadwneud eu gwaith.
- Y si amdanynt yn mynd trwy'r fro fel tân gwyllt a phlentyn â'i wynt yn ei ddwrn yn rhedeg i'r chwarel gyda'r newydd drwg.
- Robert Ellis Evans a nifer o chwarelwyr yn gadael eu gwaith ac yn

ymlid John Evans a'i griw, a'u gorfodi i'w heglu hi am Fangor cyn gynted ag y medrent dan gawod o dywyrch.

- Dydd dial yswain y Faenol, a llawer o'r gwladwyr yn gorfod ffoi a dianc i Dde Cymru.
- Eu henwau a disgrifiad ohonynt yn ymddangos yn y papurau newydd.
- Siân, gwraig Robert Ellis Evans, yn hebrwng ei gŵr ar ei daith i'r De, a'i baban (Robert Ellis) yn dri mis oed yn ei breichiau. Ei gŵr yn rhoi hanner ei arian iddi, sef hanner gini. Wrth ddychwelyd, roedd yn rhaid iddi groesi afon a oedd wedi gorlifo'i glannau. Lluchiodd ei hesgidiau i'r lan arall; syrthiodd un esgid i'r dŵr a chollodd, hefyd, yr hanner gini.
- Hanes Robert Ellis Evans yn cerdded un o strydoedd Abertawe a gŵr bonheddig ei ymddangosiad yn marchogaeth heibio iddo ac yn ei gyfarch wrth ei enw. Yntau'n troi ac yn dweud, 'Wn i ddim pwy ydach chi'. Y llall yn ei ateb, 'Ond mi wn i pwy ydach chi, mae'r awdurdodau yn chwilio amdanoch. Dyma wers i chi beidio ateb i'ch enw y tro nesa', gan fynd ymlaen ar ei daith.
- Hanes hen wraig Hafodoleu yn ymguddio mewn cwpwrdd am dridiau rhag yr erlidwyr, a chyfeillion yn ei bwydo'n slei bach.
- Siân Ellis Evans yn ymguddio rhag yr erlidwyr mewn ogof.

Er bod angen tipyn mwy na phinsied o halen efo'r ddwy olygfa olaf, i rywun gyda dawn a dychymyg, mae'r cyfnod a'r hanes yn cynnig deunydd nofel anturus.

Bu i'r gorthrwm hwn ddylanwadau'n drwm ar Robert Ellis ac ymhen blynyddoedd wedi'r *Enclosures Act* yn 1809, dywedodd fod 'yr Act hon y fwyaf gorthrymus ac annheg a basiwyd erioed'.

Cyfnod cynhyrfus fu dyddiau ei fagwraeth ac ychydig iawn o addysg a ddeuai i ran y bobl gyffredin. Pan oedd yn fachgen, ni chafodd Robert Ellis ond rhyw chwarter blwyddyn o ysgol. Gwyddai beth oedd prinder arian, bwyd, dillad ac addysg. Wedi cael ei wyth mlwydd oed, âi i'r chwarel yn ysbeidiol yng nghwmni ei dad nes iddo gyrraedd oedran dyn yn ddeuddeg oed! Yna, gweithio'n rheolaidd yn y chwarel fu ei ran am rai blynyddoedd wedyn. Yn ddeunaw oed, aeth i Chwarel Caebraichycafn, ar ochr Bethesda i Waun Gynfi, ac yno y bu am ddwy flynedd cyn symud i weithio yn Chwarel Dinorwig. Bu'r dyddiau hynny yn goleg bywyd iddo. Tra disgwyliai am le yn Chwarel Dinorwig, llwyddodd i gael mis o addysg yn Ysgol Plas-mawr, Caernarfon. Er mor brin fu'r addysg ffurfiol a gafodd, manteisiodd ar y cyfle i'w ddiwyllio'i hun yn ei oriau rhydd wedi diwrnod caled o waith. Aeth ati i wrando ar bregethu a dal ar bob cyfle i ddarllen yn ddyfal.

Yng nghanol ei arddegau, aeth i gwmni digon digrefydd a llac eu moes. Ond, yn ugain oed, aeth i ganlyn ei gyfaill a'i gefnder, Ellis Foulkes. Os oedd Robert Ellis, fel dywed ef ei hun, yn 'llong hwyliau i forio wrth y gwynt yn hytrach na'r *steamer* i fynd ymlaen yn nerth ei pheiriant mewnol', nid felly ei gefnder. Gŵr ifanc hunanfeddiannol a phwyllog oedd Ellis Foulkes a bu ei ddylanwad yn fawr iawn ar y Robert Ellis ifanc, gwyllt a byrbwyll. Yn llanc ifanc ugain oed, cymerodd esiampl ei gefnder ac ymuno â'r eglwys yng Nghapel Ysgoldy yn 1828. Ni fu edrych yn ôl wedyn yn ei hanes.

Yn ei ddyddiadur, ar gyfer Mawrth 7, 1829, dywed:

> Nos Sadwrn bwysig oedd hon i mi. Seiat yn yr Ysgoldy! Derbyniwyd fi i'r ordinhad. Dywedais fy mhrofiad fel y gallwn. Yr oedd arnaf ofn mawr. Yn yr un seiat derbyniwyd hefyd Ellis Foulkes.

Am drannoeth, Mawrth 8, ychwanega:

> Derbyniais y sacrament am y tro cyntaf. Braint fawr. Yr wyf yn ofni nas gwelais ymhellach na'r elfennau.

Go brin fod ei eiriau'n wir, oherwydd o hynny ymlaen roedd yn anniddig ei fyd. Yn 1832, aeth i ysgol yn Wrecsam am bum mis i ddysgu Saesneg ac ymbaratoi i fod yn genhadwr ond cafodd gryn drafferth efo'r iaith fain, fel y galwai ef y Saesneg.

Yn gynnar yn nechrau 1833, gadawodd yr ysgol yn Wrecsam ac aeth i Lerpwl a bu yno am bythefnos yn chwilio am waith, ond yn ofer y bu hynny. Ni fedrai fforddio i dalu am gael ei gludo adref mewn cerbyd pedwar ceffyl ac felly roedd yn rhaid iddo gerdded adref, taith deuddydd. Nid oedd ganddo ddewis chwaith ond dychwelyd i'r chwarel.

Pan oedd yn dair ar hugain oed, bu farw ei dad ac, fel yr hynaf o wyth o blant, bu'n rhaid iddo ysgwyddo'r cyfrifoldeb o gynnal y teulu. Ond ni fu'n rhaid iddo wneud hynny am hir iawn oherwydd ymhen y flwyddyn ailbriododd ei fam a bu ei gŵr yn dad maeth rhagorol i'w phlant. Yn y cyfamser, wedi chwarae gyda'r syniad o fynd yn genhadwr i Malacca, yn ne'r Affrig, diffoddodd y fflam genhadol ond yr un pryd roedd yr ysfa i bregethu'n cynyddu. Os câi syniad am bregeth yn y chwarel, ysgrifennai hi ar lechen gan fynd â'r llechen adref i'w hailgopïo mewn llyfr. O gofio hanes Moses, nid ef oedd y cyntaf i wneud hynny!

Cafodd gyfle i draddodi ei bregeth gyntaf ar hanes y mab afradlon yng nghapeli'r Ysgoldy a Chefn-y-waun. Ym mis Mawrth, 1834, daeth neb llai na John Jones, Talysarn, ar ran y Cyfarfod Misol, i wrando arno'n pregethu ac i gymryd llais yr eglwys. Nid peth bach ydoedd cynnal oedfa ac un o bregethwyr mwyaf y genedl yn gwrando arnoch chi. Bu i'r cawr o Dalysarn ei gymeradwyo i'r Cyfarfod Misol ac roedd eglwys Ysgoldy yn unfrydol o'i blaid hefyd. Ym mis Mai yr un flwyddyn, roedd pedwar o fechgyn ifanc a ddymunai gael eu derbyn yn bregethwyr yn cael eu holi yn y Cyfarfod Misol. Un ohonynt oedd Owen Thomas, Bangor (Dr Owen Thomas, Lerpwl, ymhen amser a thaid Saunders Lewis). Dau arall oedd Robert Ellis a'i gefnder, Ellis Foulkes. Roeddent mewn cwmni dethol iawn. Yr holwr oedd yr enwog John Elias o Fôn a bu'n llawdrwm ar Robert Ellis. Trodd ei gwestiwn y drol yn syth pan ofynnodd beth oedd seiliau gobeithion Robert Ellis i fod yn gadwedig. Yr ateb a gafodd oedd fod 'rhywbeth arnaf yn wahanol i'r hyn a fu unwaith'. Cynhyrfodd John Elias drwyddo a dweud 'Pa hawl sydd gan ddyn i gymell Crist yn Waredwr i eraill ac yntau ei hun heb ei dderbyn? Na, nid 'rhywbeth' a wna'r tro i fyned i bregethu'. Yna, daeth un arall o'r hoelion wyth i'r adwy, sef Michael Roberts, Pwllheli (mab John Roberts, Llangwm, a nai Robert Roberts, Clynnog), gan ddadlau bod 'rhywbeth' yn derm da i ddisgrifio gwaith gras ar enaid dyn. Meddai, 'Rhywbeth ydyw gwaith yr Ysbryd Glân nad yw dyn byth, er ei deimlo, yn deall braidd ddim ohono, ac eto mae yno rywbeth'. Aeth ymlaen i ddweud, os medrodd yr apostolion ar Ddydd y Pentecost alw'r Ysbryd Glân 'y peth hwn', yna ni welai ddim o'i le i Robert Ellis ddefnyddio'r gair 'rhywbeth'. Derbyniwyd y pedwar yn bregethwyr yng nghylch Arfon a chwarae teg i Robert Ellis, bu'n edmygydd o John Elias ar hyd ei oes.

Ymhen tair blynedd wedyn, ym mis Mai 1837, cefnodd ar fywyd y chwarel am byth. Mentrodd agor siop yng Nghlwt-y-Bont, a'i chwaer, Margaret, yn cadw tŷ iddo. Ond cyn gwneud hynny, aeth i Nefyn am dri mis at Mr a Mrs Roberts, Siop y Maes, i ennill tipyn o brofiad. Buddsoddodd ei holl arian, sef deg punt ar hugain, yn y fenter. Roedd hynny'n nodweddiadol ohono; yn wahanol i'r rhan fwyaf o bobl, roedd yn barod i ddilyn ei drywydd a'i lwybr ei hun. Ni luniwyd ef ym mold neb arall. Pwysleisir yr hynodrwydd hwn a'i rymuster meddwl yn ei gofiant, *Cofiant a Gweithiau'r Parch Robert Ellis*, gan y Parch John Owen Jones, ei fab yng nghyfraith, 'Nid un o'r *postage stamps* mohono, yr oedd yn gymeriad ar ei ben ei hun ac iddo feddwl grymus a chlir. Un ydoedd a oedd yn naturiol ac nid yn fwriadol wahanol i eraill'.

Roedd y flwyddyn 1842 yn garreg filltir bwysig yn ei hanes. Ar y trydydd ar hugain o Fawrth, priododd â Jane Evans, Cae'r Ffynnon, ger Harlech. Ddechrau'r flwyddyn honno, penderfynasai Cyfarfod Misol Sir Gaernarfon, a gynhaliwyd ym Mhwllheli, iddo ef ac un arall gael eu hordeinio. Gwnaed hynny yn Sasiwn y Bala ar Fehefin 8. Ordeiniwyd naw i gyd ac yn eu plith yr oedd Roger Edwards, Yr Wyddgrug, y gŵr ddaru 'ddarganfod' Daniel Owen a'i ddarbwyllo i ysgrifennu *Y Dreflan*. Roedd ef yn dad i Dr Ellis Edwards, y Bala).

Ymhen amser, sylweddolodd Robert Ellis fod y pulpud yn llawer pwysicach iddo na chownter ei siop ac roedd yn ddigon gonest i gydnabod nad oedd wedi ei eni i fod yn siopwr llwyddiannus. Yn *Hanes Methodistiaeth Arfon*, cyfeiria W. Hobley at ei allu i fod yn hunanfeirniadol ac yn onest ag ef ei hun. Ceir awgrym o hynny yn ei sylwadau yn ei ddyddiaduron:

> Medi 3,1861:
> Llawn o bryder. Cefais fy ngeni dan ryw blaned flin iawn. Blinder i mi fy hun ac i bawb. Yn hollol allan o fy elfen yn y siop, ac eto yma y mae'n rhaid bod.

> Tachwedd 7, 1861:
> Nid oes gennyf ddim pleser gyda'r byd, eto wrth orfod bod gydag ef byth a hefyd, yr wyf yn cael gwaith i beidio â myned yn ddyn bydol.

> Chwefror 2, 1865:
> Cario fy nheulu ar fy nghefn – yr hen lobyn gwirion. Bwrw dy faich ar yr Arglwydd.

> Awst 15, 1866:
> Rwyf yn gorfod teimlo na allaf fod yn ddyn i'r byd ac yn ddyn i'r Efengyl.

Yn 1868, cafodd waredigaeth; derbyniodd alwad i fugeilio eglwysi'r Ysgoldy a Disgwylfa. Pe bai ei daid, Evan Siôn Ffowc, yn fyw, go brin y byddai wedi ymateb yn ffafriol i hynny. Eglwyswr i'r carn oedd ei daid heb ddim i'w ddweud wrth y Methodistiaid. Roedd ei gartref, Celynisaf, wrth ymyl yr Ysgoldy gwreiddiol, ac edrychai'n ddirmygus ar y capel bach llawr pridd bob tro yr âi heibio iddo. Ond, ar y llaw arall, ymunodd ei nain â'r Methodistiaid yng Nghapel Ysgoldy a byddai hi wedi bod wrth ei bodd, mae'n siŵr. Pan oedd Robert Ellis yn ddwyflwydd oed aeth i fyw efo'i daid a'i nain a chyda hwy y bu nes oedd yn saith oed, yn gannwyll llygaid y ddau.

Roedd y ddau gapel, Ysgoldy a Disgwylfa, yn cynnig cyflog blwyddyn o ddeuddeg punt yr un iddo a thŷ, ac yn ôl ei ddyddiadur (ddiwedd 1868), roedd yn fodlon ei fyd ar hynny:

> Yr wyf fi a Jane Ellis (y wraig) wedi disgyn mewn tŷ newydd cyfleus, heb ddim i ofalu amdano ond gwasanaeth teyrnas yr Arglwydd Iesu. O, na allwn ymgysegru yn llwyr i waith a gwasanaeth yr Arglwydd!'

Cymerwyd cyfrifoldeb y siop oddi arno, a hynny mewn da bryd, gan ei fab. Etifeddodd y mab, Robert Bevan Ellis, anian ysbrydol ei dad ond, yn wahanol i'w dad, roedd yn gwybod sut i reoli masnach yn llwyddiannus.

Mae dyddiaduron Robert Ellis yn datgelu nodwedd arall o hynodrwydd ei gymeriad, sef y duedd ynddo i waedu oddi mewn. Nid oedd yn hoff o ddangos ei gleisiau i eraill. Gofidiai os oedd wedi brifo teimlad y diniwed, a hynny'n ddi-achos. Pryderai hefyd os methai fynegi barn gytbwys ac roedd yn ddi-flewyn-ar-dafod yn ei hunanfeirniadaeth:

Mawrth 18, 1855:
Salem, Rhyd-ddu, Beddgelert: Yr un pregethau. Wel! dyma yr achos fod fy mhregethau mor ddwl. Rhygnu gormod ar yr un rhai. Hen bregethau wedi colli eu dannedd, nid oes berygl iddynt frathu!

Mehefin 15, 1856:
Rhygnu hen bregethau. Nid ydyw clustiau newyddion yn gwneud y pregethau yn newydd.

Chwefror 16, 1864:
Seiat goman. Mor hawdd yw i mi draethu gwersi i bobl eraill!

Tachwedd 30, 1864:
Hwylio gyda'm hwyl fy hun. Mor dlawd!

Ionawr 18, 1865:
Seiat. Dwl a di-dân. Beth ddaw o'r achos gorau. Rhaid wrth ysbryd y peth byw.

Gorffennaf 27, 1868:
Seiat. Cyffredin. O, am y peth nas gallwn ei wneud.

Tachwedd 21, 1868:
Sul. Ysgoldy. Llipa, llipa. Pa beth i bregethu? Methu gwneud yr un bregeth yn werth pen botwm.

Ionawr 2, 1872:
Seiat. Areithio a rhynu! Pa fodd i gadw seiat?

Chwefror 23, 1873:
Yn y limbo yn lân. Y bregeth bore ddoe (yn yr Ysgoldy) wedi rhewi cyn yr Amen. Ow ohonof!

Defnyddiai'r ymadrodd 'Pw! Pw! a phw drachefn!' os nad oedd rhywbeth yn ei blesio ond nid felly wrth ymwneud â'r bobl ifanc. Ni theimlai ei fod yn rhwyfo'n erbyn y llanw gyda'r ifanc:

Chwefror 18, 1863:
Seiat. Derbyn wyth o blant. Gobeithiol.

Mawrth 27, 1877:
Seiat. Ymdroi gyda'r bobl ieuainc. Troi tyndir. Da hynny.

Mai 31, 1880:
Cyfarfod gweddi'r proffeswyr ieuainc. Dyma hynny o lygeityn sydd ar yr achos.

Os oedd yn llym arno'i hun, ni fedrai chwaith ddioddef gwastraffu amser a gwag-siarad wrth ymwneud â gwaith yr eglwys:

Mai 3, 1868:
Cyfarfod Misol, Clynnog Uchaf. Materion di-les a dadleuon di-les. Pa bryd y ceir diwygiad ar y Cyfarfod Misol?

Ebrill 12, 1875:
Cyfarfod Misol, Gorffwysfa. Rwdl diwerth.

Nid nodi hyn yn ei ddyddiadur yn unig a wnâi; roedd ganddo ddigon o asgwrn cefn i ddweud hynny'n agored hefyd:

Ceisiwyd caniatâd i godi capel pryd yr oedd y swyddogion yn gwrthwynebu. Y ddwy ochr yn y Cyfarfod Misol, a'r naill a'r llall yn sôn gryn lawer am eu hawliau. Dadleu am ddwy awr gron. Robert Ellis yn y diwedd yn neidio ar ei draed, gan edrych yn syn a sarrug,'Onid oes arnoch gywilydd ohonoch eich hunain, wedi dod ddeng milltir o ffordd i'r Cyfarfod Misol i sôn yn ddi-ben-draw am eich hawliau, hawliau, hawliau, heb ddangos gronyn o gariad at eich gilydd, nac at Grist na'i achos? Ewch adref, da chi, i ddysgu meithrin mwy o gariad at eich gilydd, ac yna dowch i'r Cyfarfod Misol.' Distawrwydd: terfyn ar y ddadl. (*Hanes Methodistiaeth Arfon*, W. Hobley)

Yn ôl sylw yn ei ddyddiadur, Gorffennaf 9, 1862, bu i ryw wraig o Benisarwaun gael blaen ei dafod hefyd, ond nid yn ddi-achos, mae'n siŵr: 'Colli'r dymer gyda rhyw hen witsh o Benisarwaun. Pw!'

Os oedd yn siarad yn blaen pan oedd galw am hynny, medrai hefyd dyneru ei eiriau â gras, oherwydd pan oedd angen tawelu ymrafael mewn eglwys, Robert Ellis a anfonid i wneud y dasg sensitif ac anodd honno. Roedd ganddo ddywediadau bachog a'r ddawn i drin geiriau:

Pryd na byddo gwynt, rhaid rhwyfo.

Nid oes dim mynd heb fywyd. Y peth byw sydd yn symud.

Mor ddiflas chwilio am brofiad lle nad yw.

All dyn duwiol fod yn ddibrofiad?

Mae'n ddrwg gen i weld aelodau'r Cyfarfod Misol mor hoff o
ddribliach!

Mae golygfeydd Beddgelert yn ddigon i wneud dyn dwl yn
brydydd.

Aeth fy mhregeth yn fwg. Mae tamp yn y teimlad.

Diwrnod du ac oer. Y nef a'r ddaear fel yn cau eu dyrnau.

Ai dim sydd arni ar lyfrau'r byd a ddaw? (Wrth gyfeirio at wythnos
ddiog)

Mae ei ddyddiaduron yn frith o frawddegau sydd, o ran mynegiant ac
arddull, yn atgoffa rhywun o'r Salmau. O ddod â'r rhain at ei gilydd, maent
yn darllen fel Salm:

Trwm a llwythog wyf o bryder – ofn a phryder dychrynllyd;
pryder sy'n gwynnu fy mhen ac yn sychu fy esgyrn;
pan ddaw llonyddwch, caiff Duw lonydd;
Ond diolch, mae glan yn y golwg;
eto, mae yn bell, bell, o'r braidd yr wyf yn ei ganfod;
mae anawsterau mawr i'w croesi cyn ei gyrraedd;
Fy ngweddi yw ar i Dduw fy nwyn drwy'r holl dymhestloedd i
mewn i borthladd;
Efe a all wneud hynny.
Gwaeddaf arno ddydd a nos;
gweiddi ar y Duw byw o'r dyfnder.
O, na chawn gilfach a glan iddi;
O, na'm siomer;
Gobeithiaf yn Nuw.
Pa beth yw'r achos sy'n cynhyrfu'r meddwl mor fynych?
Y tywydd yn dywyll,heb na haul na lloer.
Paham, fy enaid, yr ymddarostyngi ynof?

(Dyddiaduron Tachwedd/Rhagfyr 1861 a Gorffennaf/Tachwedd 1866)

Ar ôl newid ffedog groser am y goler gron, treuliodd dair blynedd ar ddeg
yn weinidog llawn amser cyn ymddeol ym mis Mawrth 1881. Ar Fawrth 13
y flwyddyn honno, pregethodd am y tro olaf a'i destun oedd 'Hyd yma y
cynorthwyodd yr Arglwydd ni.' (1 Samuel 7:12). Mae'r sylwadau olaf a

ysgrifennodd yn ei ddyddiadur yn ategu hyn:

Awst 28, 1881:
Gartref yn y gornel yn ymdeimlo â'm gwaeledd. Nid dydd ac nid nos.
Yn hiraethu ac yn llefain am fwy o oleuni. Eto trefn gras a minnau
mewn gafael â'n gilydd. Ac mae'r afael sicraf fry.

Ymhen mis wedyn, bu farw'n dawel a hamddenol nos Sadwrn, Medi 24, yn
73 oed. Ceir adroddiad am ei angladd yn *Y Goleuad*, Hydref 8, 1881.
Claddwyd ef ym mynwent Macpela, Clwt-y-Bont, lle bu iddo yn ei ddydd
weinyddu mewn cannoedd o angladdau. Oriau cyn yr angladd, roedd pobl
yn dylifo i'r ardal o bob cyfeiriad. Yn ei gofiant i John Jones, Talysarn,
dywed Dr Owen Thomas fod oddeutu pedair mil o bobl yn yr orymdaith
angladdol o Dalysarn i Lanllyfni. Er nad oedd Robert Ellis yn enwog nac yn
ffigur cenedlaethol fel y gwron o Dalysarn, roedd dros bedair mil o leiaf
wedi dod i Glwt-y-Bont i dalu'r gymwynas olaf iddo. Mae hynny'n adrodd
cyfrolau am Robert Ellis. Yn ystod yr angladd, nodwyd gan sawl un mai
'dyn Duw' ydoedd yn bennaf.

Yn ôl ei ddyddiaduron, ni welai Robert Ellis unrhyw obaith o gyfeiriad y
byd hwn:

Mawrth 30, 1865:
Teimlo fel gadael i'r byd hwn gymryd ei siawns – gadael iddo gicio a
lluchio a chnoi a strancio fel fyd fynno'i galon, a lladd ei hun os mynn,
gan nas gallaf ei reoli ef. Caiff wneud fel y mynno: nid af i ymryson ag
ef. Ni chaf ond ymborth a dillad yn y diwedd. A chaf hynny er ei
waethaf. Teimlo'n ofnus am y dyfodol.

Yn wahanol iawn i'w dad, medrodd Robert Bevan Ellis reoli'r byd materol
a'i ddefnyddio er budd ysbrydol. Yn sicr, nid ofnai ef a'i briod am y dyfodol
a chawsant lawer mwy nag ymborth a dillad. O ran natur, roedd yn
rhyfeddol o debyg i'w dad ac yn sensitif i anghenion ei gyd-ddyn, dyna'i
etifeddiaeth. Llwyddodd yntau yn ei dro i ddefnyddio'i lwyddiant yn
anhunanol er lles rhai llai ffodus mewn cymdeithas. Nid mewn enw'n unig
yr oedd Robert Bevan Ellis yn debyg i'w dad.

4. CADW SIOP

Bu cadw siop yn gyfrwng i Gymru a'r Ysgolion Sul elwa ar alluoedd ac amser Thomas Charles o'r Bala. Heb gymorth ei wraig, Sally, a'r siop lewyrchus a etifeddodd, ni fyddai Thomas Charles wedi cael ei draed yn rhydd i gyflawni ei wahanol weledigaethau. Ar raddfa lai, dyna hanes y Parchedig Roberts Ellis, tad sylfaenydd Cartref Bontnewydd. Yn nes ato ef mewn amser a milltiroedd, digwyddodd yr un peth yn Nhalysarn. Priododd yr enwog John Jones, Talysarn, â merch Fferm y Taldrws, Dyffryn Nantlle, sef Fanny Edwards. Ni fedrai yntau, chwaith, fod wedi crwydro Cymru i bregethu oni bai fod ei briod, Fanny, yn cadw Siop Gogerddan, 'y siop fawr' fel y gelwid hi. Go brin y medrai trigolion Gwaun Gynfi gyfeirio at *Helen Villa*, sef siop Robert a Siân Ellis, fel 'y siop fawr'. Un o ddywediadau awgrymog Robert Ellis oedd fod cryn wahaniaeth rhwng siopwr yn ceisio pregethu tipyn a phregethwr yn ceisio cadw tipyn o siop! Ond roedd ei ddyled yntau hefyd yn fawr i Siân fel siopwraig oherwydd y Beibl ac nid biliau'r siop oedd yn mynd â'i fryd ef.

Ganwyd i Robert a Siân Ellis chwech o blant, dwy ferch a phedwar o feibion. Un o'r bechgyn oedd Robert Bevan Ellis. Ganwyd ef ar Ebrill 15, 1849. Yn wahanol i'w dad, nid oedd yn fachgen cryf. Cafodd fynd ar wyliau unwaith i Drefriw. Ai er mwyn gallu manteisio ar ddyfroedd y *spa* iachusol, tybed? Ond, yn sicr, etifeddodd gryfder meddwl ac egwyddorion ei dad. Un o egwyddorion Robert Ellis oedd sicrhau addysg dda i'w blant ond hwyrach nad oedd y busnes yn ddigon llewyrchus i ganiat·u hynny ac yntau heb y gallu i ffitio'r wadn fel bo'r troed.

Heb amheuaeth, cafodd Robert Bevan Ellis well manteision addysg na'i gyfoedion yng Nghlwt-y-Bont. Anfonwyd ef a'i ddwy chwaer i ysgol ym Mangor, a oedd yng ngofal Josiah Thomas, M.A., brawd Dr Owen Thomas, Lerpwl (taid Saunders Lewis). Yn ychwanegol at yr addysg a gafodd ym Mangor, anfonwyd ef hefyd i Ysgol Holt, ger Wrecsam, ac yna'i brentisio'n siopwr yn *Victoria House*, Bangor. Siop gwerthu dillad *(drapers)* oedd *Victoria House*, a bu hynny o fantais iddo ymhen amser, gan mai fel *grocer and draper* y disgrifir ef yng nghyfrifiad 1881. Roedd bachgen ifanc o Fôn o'r enw John yn gyd-brentis ag ef yn Victoria House – dringodd hwnnw i binacl ei yrfa a phenodwyd ef yn gyfarwyddwr siop ddillad enwog yn Llundain – *Dickens*

& Jones, Regent St. Ef oedd y 'Jones' – sef neb llai na Syr John Pritchard-Jones. Dilyn llwybr gwahanol fu hanes y prentis o Glwt-y-Bont, oherwydd cyn iddo gwblhau ei brentisiaeth bu'n rhaid iddo ddychwelyd adref, oherwydd erbyn hyn roedd y blaidd wrth y drws a mater o raid oedd dilyn ei dad fel groser er mwyn rhoi trefn ar y busnes.

Yn y nofel *Rhys Lewis* gan Daniel Owen, nid oedd y mab, Wil Bryan, fawr o help i'w dad, Hugh Owen – *Provision Dealer* – i rwystro'r hwch rhag mynd trwy'r siop. Ond fel arall yn hollol y bu pethau yn siop Clwt-y-Bont. Profodd Robert Bevan Ellis ei hun yn fasnachwr eithriadol o lwyddiannus. Nid oedd ond ugain oed pan ysgwyddodd faich ei dad ac er nad oedd wedi cwblhau ei brentisiaeth yn *Victoria House*, Bangor, cymerodd ef a'i chwaer, Jane, y cyfrifoldeb o redeg y busnes. Ymhen amser, bu llathen o gownter yn gyfrwng iddo wneud ei ffortiwn.

LLATHEN O GOWNTER

Yn nechrau wyth degau'r bedwaredd ganrif ar bymtheg, allforiwyd 76,000 tunnell o lechi o harbwr y Felinheli. Deuai hyn ag elw eithriadol i ŵr Plas y Faenol, perchennog Chwarel Dinorwig. Yn sicr, nid aeth dail te na llwchyn o siwgr dros gownter siop Clwt-y-Bont i gegin Plas y Faenol ond i'r siop hon yr âi gwragedd chwarelwyr ardal Gwaun Gynfni a thyddynwyr godre'r Eilidir am eu holl ymborth. Ac nid prynu bwyd yn unig a wnaent chwaith. Ymhell cyn dyfodiad archfarchnadoedd ein dyddiau ni, roedd hon yn siop gwerthu pob peth, siop ac ynddi'r cwbl yr oedd ei angen at iws gwragedd chwarelwyr ac amaethwyr tyddynnod bach y llethrau: paraffin ac asiffeta; caws ac indian corn; blacin a botymau a brwsys; tonic i ddyn ac anifail; lliain main; canhwyllau, calico, crysbas; rubanau a chareiau; platiau, bwcedi; sosbenni a steusys – bron popeth, o reis i fraso. Nid *entrepeneur* mentrus oedd Robert Bevan Ellis ond dyn a wyddai'n union beth oedd gofynion yr ardalwyr. Roedd angen dilladu'r chwarelwyr yn bwrpasol yn ogystal â'u bwydo. Fel arfer, gwisgai'r chwarelwr siaced liain wen, gwasgod ffustion, cap stabal a throwsus melfaréd, tra gwisgai'r creigiwr het galed a throwsus ffustion. Roedd angen trowsus o ddeunydd gwytnach ar y creigiwr oherwydd, wrth hongian fel pry' copyn ar wyneb y graig, byddai'r tsiaen neu'r rhaff a oedd wedi ei chlymu o amgylch ei goesau yn rwbio'n gyson ar y trowsus. Felly trowsus ffustion i'r creigiwr ac nid un y melfaréd meddalach.

Druan o wragedd y chwarelwyr hynny ar ddiwrnod golchi a'r trowsusau'n blastar o lwch y garreg las. Ond ar werth yn siop Clwt-y-Bont roedd twb sinc, doli dillad, bwrdd sgwrio a digon o liw glas a sebon carbolig. Oedd, roedd gan y siopwr hynod hwn lygad at fusnes ac roedd busnes i'w gael yn ei gylch tua diwedd y bedwaredd ganrif ar bymtheg. Yr adeg honno, roedd poblogaeth dalgylchoedd y chwareli yn uchel. Yn ôl cyfrifiad 1881, roedd poblogaeth ardal Clwt-y-Bont dros dair mil.

Dyma'r cyfnod pan adeiladwyd capeli gan yr holl enwadau Anghydffurfiol yng Nghlwt-y-Bont a Deiniolen. Roedd nifer cynulleidfa Capel Ysgoldy, Clwt-y-Bont, yn 315 ac Ebeneser yn 600. Ond nid oedd yr ardal heb ei thafarndai chwaith! Roedd Clwt-y-Bont yn cynnal dwy dafarn – y *King's Head* a'r *Quarryman's Arms*; dwy siop *milliner*; siop David Pritchard, y teiliwr; Mary Owen, gwniadwraig; masnachwr glo; pedair siop groser – dwy ohonynt yn *Grocer & Draper*, y drydedd yn gwerthu blawd hefyd a'r bedwaredd yn bost bach yn ogystal. Ym Mhlas Eryr, trigai meddyg yr ardal, Dr John Roberts. Cyflogai nyrs, dwy forwyn, gwas, cogyddes a *governess* i'w blant – pump ohonynt.

Roedd y pentref agosaf, Ebeneser (Deiniolen yn ddiweddarach) a Chlwt-y-Bont bron yn un ac roedd llawer mwy o dafarndai, siopau a masnachwyr yn Neiniolen. O gwmpas y pentrefi hyn, roedd y mân ddyddynnod: y Tŷ Mawr, er enghraifft, a oedd yn ddyddyn tair acer, a Chorlan y Bont lle trigai Hugh Pritchard yn 1881, a oedd yn labro yn y chwarel ac yn ffermio saith acer o dir.

Chwe swllt y dydd (yn yr hen arian) oedd cyflog chwarelwr a chreigiwr a châi labrwr rhwng pedwar swllt a phedwar swllt a chwe cheiniog (4/6). Cyflog bach? Ie, medrai fod yn llawer mwy, mae'n siŵr ond, yr adeg honno, roedd modd cael pwys o siwgr am ddwy geiniog a dima' a chant o lo am wyth geiniog. Am bum swllt a chwe cheiniog, gellid prynu naw o frwsys – brws llawr, brws dillad, brws sgwrio, brws llaw, dau frws grât a thri brws esgidiau – mae'n amlwg nad rhywbeth yn perthyn i'n cyfnod ni yw'r pecyn bargen! Pris gwely haearn oedd deuddeg swllt a'r fatras yn saith swllt a chwe cheiniog; pris bwrdd cegin ffawydd gwyn oedd pum swllt a bwrdd crwn yn saith swllt. Heddiw fe gostiai cadair siglo o'r cyfnod hwnnw yn agos i gant o bunnau ond ei phris bryd hynny oedd pedwar swllt a chwe cheiniog. Pedair ceiniog y pwys oedd caws, a hanner mochyn wedi ei halltu yn ddwy bunt. Wrth gwrs, roedd y tyddynnwr-chwarelwr yn magu mochyn neu ddau ac yn gwerthu un tuag at dalu'r rhent.

Mae'n rhaid cofio, hefyd, nad oedd teithio gan mlynedd yn ôl yn hwylus o gwbl ac roedd tua saith milltir o daith i Fangor a Chaernarfon; roedd Llanberis yn rhy bell i bicio yno'n sydyn ac felly siopau'r wlad oedd yn cael cefnogaeth yr ardalwyr. Diwrnod i'r brenin oedd mynd i dre'r castell neu i dre'r coleg. Yn wir, byddai siopwyr y trefi mawr yn ceisio denu cwsmeriaid y wlad drwy gynnig bargeinion iddynt.

Ar achlysur agor rheilffordd newydd o Fethesda i Fangor yn 1884, roedd William Hughes a'i Fab, *Pork Shop*, 259 a 261 Stryd Fawr, Bangor, yn cynnig eu sosejis 'byd-enwog' am geiniog y pwys yn llai nag arferol. Ond roedd amod, fel y gwelir yn yr hysbyseb!

Mae'n amlwg i Robert Bevan Ellis, *grocer & draper*, ddenu a bodloni nifer helaeth o'r cwsmeriaid hyn ac, yn ôl yr hanes, roedd y rhan fwyaf ohonynt yn gwsmeriaid arian parod ar law. Ychydig iawn ohonynt a gadwai gyfrif ar lechen a thalu'r ôl ddyled bob yn hyn a hyn. Heb unrhyw amheuaeth, gwnaeth llathen o gownter Robert Bevan Ellis yn ŵr cyfoethog iawn.

5. IEUO'N GYMHARUS

Anaml y clywir heddiw yr ymadrodd 'ieuo'n gymharus' neu 'ieuo'n anghymarus' ond roedd yn ymadrodd cyffredin yn oes Fictoria, yn arbennig yn seiadau'r eglwysi Anghydffurfiol. Os oedd aelod eglwysig yn canlyn ac yn bwriadu priodi ag un nad oedd yn aelod eglwysig neu ddim yn proffesu'r un gyffes ffydd, yna roedd yr ieuo'n anghymarus a byddai rhaid disgyblu hwnnw neu honno. Enghraifft dda o hynny yw'r drafodaeth rhwng Gwen Tomos a Rheinallt yn nofel Daniel Owen. Roedd y ddau'n bwriadu priodi ond, yn wahanol i Gwen Tomos, nid oedd Rheinallt wedi ymaelodi gyda'r Methodistiaid nac yn aelod o'r seiat. Meddai Gwen Tomos wrtho: '... pe torrai eglwys Tan-y-fron fi allan am ieuo yn anghymarus, mi wnâi ei dyletswydd tuag at Dduw a'r cyfundeb.' (*Gwen Tomos*, Daniel Owen, t.221). Roedd sail ysgrythurol i'r arferiad hwn. 'Na ieuer chwi yn anghymarus gyda'r rhai di-gred', meddir yn 2 Corinthiaid 6:14. Ni cheir yr ymadrodd yn y Beibl Cymraeg Newydd: 'Peidiwch ag ymgysylltu'n amhriodol ag anghredinwyr' a geir yno.

Ni fedrai neb gyhuddo Robert Bevan Ellis na'i rieni o ieuo'n anghymharus. Ar yr achlysur o dderbyn galwad i fugeilio eglwysi Ysgoldy a Disgwylfa, dywed Robert Ellis yn ei ddyddiadur fod ei briod yn ogystal ag ef ei hun 'heb ddim i ofalu amdano ond gwasanaeth teyrnas yr Arglwydd Iesu'. Bu ei briod yn gefn arbennig iddo tra ceisiai wasanaethu eglwysi'r cylch cyn ei alw'n weinidog arnynt:

> Cafodd lawer o waith diolch fod Siân Ellis, chwedl yntau, a'i medr fel siopwraig, rhyngddo a llawer trybini oherwydd dyna lle byddai Robert Ellis yn rhedeg yn ffwdanus rhwng helynt y cwsmeriaid a helynt y bregeth newydd a fyddai ar y ddesg. (*Cartre'r Plant*, Richard Thomas)

Pan ddeallodd fod ei fab yn bwriadu priodi Margaret Evans o'r Garnedd, roedd Robert Ellis wrth ei fodd oherwydd yr oedd o'r un dras ag ef. Ond tybed a oedd ganddo beth amheuaeth ynglŷn â hyn ac nad oedd hynny'n briodol, oherwydd dywed yn ei ddyddiadur Mai 6-11, 1872:

> Helbulus iawn. Y frech wen ar Jane Ellis Clwt-y-Bont. Pryder rhag i'r haint ymdaenu ar y gweddill o'r teulu. Yr Arglwydd Iôr a gymer

drugaredd arnom. Cael ein beio am ymgymysgu â'r teulu. Ond pa fodd i ymgreuloni at fy annwyl blant?

Ond ymhen llai na blwyddyn yr oedd y cwmwl wedi cilio a haul ar fryn unwaith eto. Roedd yn fwy na bodlon pan briodwyd Robert Bevan Ellis a Margaret Evans yng Nghefnywaun ar Fawrth 18, 1873. Bu'n briodas tu hwnt o lwyddiannus yn faterol ac ysbrydol – ieuo cymharus dros ben.

BWRW IDDI

Nid rhai am laesu dwylo oedd Robert Bevan Ellis a'i briod – bu'r ddau'n eithriadol o brysur gyda'r busnes yn siop *Helen Villa*. Cawsant wyth mlynedd ar hugain hynod o lwyddiannus a diwyd ac roedd sbardun effeithiol i'r diwydrwydd hwnnw:

> Yn lled gynnar ar eu gyrfa yng Nghlwt-y-Bont, eisteddai R. B. Ellis a'i briod wrth dân siriol. O drafod cyflwr a mesur llwyddiant y fasnach, aethpwyd i 'wneud syms' a gwelsant y gallent, gydag ymroddiad, rhwydd-deb, a bendith, ddisgwyl medru cilio o'r fasnach ymhen hyn a hyn o flynyddoedd, ac iddo yntau, Mr Ellis, gael y cyfle i ymroddi'n llwyrach i wasanaethu cymdeithas. Dyna'r syniad a ddaeth yn symbyliad iddynt yn eu holl ymdrechion i lwyddo – a llwyddo a wnaethant. (*Cartre'r Plant*, Richard Thomas)

Blwyddyn cilio o'r fasnach oedd 1896 ac yr oedd yn flwyddyn bwysig iawn i'r ddau, oherwydd bu iddynt hefyd newid ardal a chael aelwyd a chartref newydd yn y Bronant ar lethr bryn uwchlaw pentref Y Bontnewydd, wrth ymyl tref Caernarfon. Ond nid dod yno i ymddeol, segura a byw fel gŵr bonheddig a wnaeth R. B. Ellis. Fel siopwr, roedd wedi hen arfer torchi ei lewys ac felly bwrw iddi heb ymdroi fu ei hanes.

Treuliodd y tair blynedd gyntaf yn gweddnewid hen ffermdy'r Bronant a chreu cartref dymunol ohono. Yn fuan iawn, cafodd ei ddewis yn flaenor yng nghapel Siloam, Y Bontnewydd, ac ni fu'n hir cyn sefydlu yno weithgareddau ar gyfer pob oed – cymdeithas lenyddol, cyfarfod pobl ifanc ac ailddechrau'r Gobeithlu i'r plant.

Cafodd ei ethol yn gynghorydd dosbarth a sirol ac yn Ynad Heddwch. Llwyddodd i berswadio'r Cyngor Sir i weddnewid yr hen *National School* yn Y Bontnewydd a'i gwneud yn ysgol flaengar ac arbrofol. Yn gwbl groes i'r graen o bosib, daeth yn aelod o Fwrdd Gwarcheidwaid y Plwyf; fel ei dad o'i flaen, roedd yn eiddgar i warchod y tlawd a'r gwan rhag cam ond roedd gweld yr anghenus yn dod â'u cap yn eu llaw i ofyn am gardod plwyf yn boen enaid iddo. Yn ei lyfr *Cartre'r Plant*, dywed Richard Thomas:

> Trwy ei brofiad ar Fwrdd y Gwarcheidwaid y teimlodd yn ddwys yr angen am nodded glyd a chynnes dan olau cariad i blant heb na chartref na mwynderau bywyd.

Dywed hefyd i Mrs Ellis, wrth y bwrdd cinio un dydd Sul, ailadrodd sylw a glywsai gan 'gymdoges grefyddol a synhwyrol', sef bod llawer o bobl gyfoethog yn colli cyfle i wneud daioni a hefyd yn troi clust fyddar i gri'r anghenus ac yn myned y ffordd arall heibio.

> Meddai R. B. Ellis: 'Yr ydym ni ein dau wedi sôn llawer am gael cartref i amddifaid – yn awr amdani'. Penderfynwyd y munud hwnnw droi'r weledigaeth yn ffaith ac, yn angerdd ei ffydd, ei obaith, a'i gariad, gwelodd gartref clyd a chrefyddol – un y câi plant anffodus a diamddiffyn 'o fewn ei furiau le'. Gwelodd ef cyn bod carreg ar garreg ohono.

Ond ai felly'n union y daeth y syniad, sef un fflach lachar o weledigaeth wrth y bwrdd cinio dydd Sul? Dywed Anthropos mewn ysgrif yn *Y Goleuad*, Mawrth 1913, mai yn raddol y torrodd y syniad ar feddwl R. B. Ellis.

Os oedd rhai cyfoethogion yn troi clust fyddar i gri'r anghenus yn y cyfnod hwn, roedd yn gyfnod hefyd pan welwyd llawer o elusen ymhlith y rhai da eu byd. Pwy a ŵyr, hwyrach fod a wnelo gweledigaeth R. B. Ellis â Christnogaeth ymarferol teuluoedd goludog fel Cadbury ac eraill yn Lloegr. A ellir mwynhau cyfoeth heb ei rannu? Heb amheuaeth, ni fedrai R. B. Ellis a'i briod. Ond nid dyna'r hanes yn gyflawn. Ysgrifennydd cyntaf Cartref Bontnewydd oedd y Parchedig W. Jones Williams, gweinidog Beddgelert o 1893 i 1903. Nid oes unrhyw gofnod ysgrifenedig yn unman yn cyfeirio fel y bu iddo yntau hefyd gyfrannu tuag at weledigaeth R. B. Ellis. O bosib ei fod yn rhy ddiymhongar i dynnu sylw at hynny'n gyhoeddus ond diolch iddo am adrodd yr hanes wrth ei ferch a'i deulu. Do, fe gyfrannodd W. Jones Williams hefyd at y syniad o gael cartref i'r diamddiffyn a hwyrach mai dyna un rheswm paham y penodwyd ef gan Henaduriaeth Arfon ym 1899 yn ysgrifennydd y pwyllgor a'r casgliad arbennig ac, wedi hynny, yn ysgrifennydd cyntaf Cartref Bontnewydd.

STORI W. JONES WILLIAMS

Diogelwyd yr hanes gan ferch y Parchedig W. Jones Williams, sef y ddiweddar Mrs Olwen Pierce, Caernarfon, a hithau yn ei thro yn dweud yr hanes wrthyf innau ar achlysur dathlu tri chwarter canrif sefydlu'r Cartref:

Sawl tro y clywais fy nhad yn dweud stori drist am rieni tri o blant bychain yn marw o fewn 'chydig fisoedd i'w gilydd. Gan na fedrai'r teulu eu cymryd i'w gofal, bu'n rhaid mynd â'r tri i'r tloty, neu'r 'wyrcws' ar lafar gwlad. Ni fedrai gysgu'n dawel wrth feddwl am y plant yn byw yn y tloty yng nghanol pob math o bobl. Un diwrnod, roedd yn cyd-deithio i gyfarfod o Henaduriaeth Arfon gydag R. B. Ellis ac agorodd ei galon iddo a dweud ei bod yn g'wilydd o beth bod plant amddifaid yn gorfod byw mewn 'wyrcws' ac y dylai fod cartref arbennig ar eu cyfer. Cytunodd R. B. Ellis yn llwyr ag ef a bu'n dawedog weddill y daith i'r Cyfarfod Misol – tawelwch awgrymog iawn, meddai fy nhad.

Nid oes modd gwybod bellach a ddigwyddodd hyn cyn iddo gael ei argyhoeddi bod angen cartref i blant ar y Sul bythgofiadwy hwnnw ym Mronant ynteu wedi hynny. Ai disgyn ar dir da a wnaeth geiriau'r Parchedig W. Jones Williams ynteu ai R. B. Ellis neu ei wraig oedd tarddiad y syniad?

Roedd Anthropos yn llygad ei le pan ddywedodd mai'n raddol y torrodd y syniad ar feddwl R. B. Ellis. Os mai ef a gafodd y weledigaeth, bu i eraill ei hyrwyddo hefyd ac fe haeddant y clod am hynny, a'r bennaf un yn eu plith oedd ei briod Margaret, merch y Garnedd, Gwaun Gynfni. Roedd y naill yn dibynnu ar y llall ac yn gefn i'w gilydd. Bu'n briodas gymharus dros ben.

6. MYND Â'R MAEN I'R WAL

Mae'n rhaid wrth lawer o amynedd i adeiladu wal gerrig. Golyga ddewis pob carreg yn ofalus a'i throi a'i throsi nes bo'n gorwedd yn daclus yn ei lle. Felly, mae'n rhaid wrth gryn dipyn o sgil yn ogystal ag amynedd os am fynd â'r maen i'r wal.

Mae'r un peth yn wir wrth drin pobl ac nid oes gan bawb y ddawn i fesur a phwyso eu cyd-ddyn. Roedd y gallu hwn gan y Parchedig Evan Jones, gweinidog Capel Moriah, Caernarfon. Roedd yn arweinydd blaenllaw gyda'r Methodistiaid Calfinaidd ac roedd ganddo bersonoliaeth arbennig iawn. Cafodd brif anrhydeddau ei enwad – yn 1897, etholwyd ef yn llywydd Cymdeithasfa'r Gogledd ac wedi hynny yn llywydd y Gymanfa Gyffredinol. Yn 1909, ef oedd llywydd Undeb Cyngor Eglwysi Rhyddion Cymru a Lloegr. Yr oedd nid yn unig yn bregethwr mawr ac yn wleidydd eglwysig o fri, ond yr oedd wedi gwneud ei farc hefyd ym myd newyddiaduriaeth. Ysgrifennai erthyglau cyson i'r *Cambrian News* a'r *Genedl Gymreig*. Sefydlodd bapur wythnosol, *Yr Amserau*, a bu'n olygydd *Y Goleuad* a'r *Traethodydd*. Gwnaeth enw iddo'i hun fel dadleuwr didostur ar lwyfan gwleidyddol ac roedd yn feistr ar watwareg. Gwyddai Evan Jones sut i grafu at yr asgwrn.

Bu'n golygu *Y Goleuad* yn 1872 ac ef, yn wir, a achubodd y cyhoeddiad rhag suddo yn y gors ariannol. Roedd John Roberts (Ieuan Gwyllt) wedi bod yn ymdrechu'n llafurus i gadw'r papur ar dir y byw, ond fel hyn y disgrifiodd Evan Jones lafur Ieuan Gwyllt: 'Pallai yn y pupur, yr halen, y *sauce* a'r *dressing* sydd yn angenrheidiol i Newyddiadurwr Cymreig i lwyddo yn y dyddiau hyn.' Yn sicr, roedd *sauce* gan Evan Jones ei hun a hwnnw'n un siarp dros ben.

Mewn ysgrif ar hanes y papur yn *Y Goleuad*, Hydref 1999, disgrifir Evan Jones gan R. Maldwyn Thomas yn gignoeth o onest:

> Ef oedd yr enwocaf o weinidogion yr hen gorff yng Ngwynedd, ac odid yng Nghymru, yn ystod ugain mlynedd olaf y bedwaredd ganrif ar bymtheg . . . Yr oedd Evan Jones yn amlwg yn ei enwad pan ymunodd â bwrdd cyfarwyddwyr cwmni *Y Goleuad* ym Mehefin 1872.
>
> Amlygrwydd oedd hwn a ddaeth i fod oherwydd bod yr ysfa am groesi cleddyfau ag unrhyw un, neu unrhyw fudiad, a safai ar ei

lwybr, yn rhan greiddiol o gymeriad Evan Jones. Heb unrhyw amheuaeth, yr oedd yn ŵr eithriadol ddawnus, yn bregethwr pwysig, yn llenor newyddiadurol miniog, yn siaradwr gwleidyddol deifiol ac anhrugarog. Yr oedd hefyd yn ddi-ildio, yn drahaus ac yn bigog iawn. Gwyddai am ei ddoniau mawr, a gwyddai hefyd o'r gorau am ochr arw ei gymeriad – 'Nid oes neb yn gofidio mwy na myfi fy hun na fuasai fy natur yn llai sur ac yn fwy hufennaidd' oedd ei gyffes yn *Y Genedl Gymreig*, Hydref 14, 1913 (t.6).

Ond pe bai wedi bod yn fwy hufennog ac yn llai sur, yna nid Evan Jones fyddai o wedyn – byddai wedi colli'r rhuddin hwnnw a oedd i'w gymeriad unigryw. Tua 1900, roedd yn ei anterth a theyrnasai fel petai'r cyfundeb yn ymerodraeth iddo. Ychydig iawn, iawn o bobl, os unrhyw un o gwbl, a fedrai droi ei drwyn. Roedd eisiau dyn go ddewr i feiddio'i groesi ar unrhyw fater a'i orfodi i newid ei gyfeiriad. Yn ôl y diweddar Emyr Thomas, Caernarfon, mab y Parchedig Richard Thomas, un a adwaenai Evan Jones yn dda, bu i Robert Bevan Ellis wneud hynny a llwyddo. Mae'n debyg mai trwy ei dad y cafodd Emyr Thomas yr hanes. Fel ysgrifennydd Cartref Bontnewydd o 1904 hyd at 1945, a chyfaill mawr i R. B. Ellis, roedd ei dad mewn sefyllfa i wybod am yr hyn a ddigwyddai yng nghoridorau grym Henaduriaeth Arfon a'r llysoedd cyfundebol.

Dyma'r hanes am y frwydr rhwng Robert Bevan Ellis ac Evan Jones. Cynigiodd Robert Bevan Ellis dir a mil o bunnau i Henaduriaeth Arfon i'r diben o adeiladu cartref i blant amddifaid. Roedd gofyn ar yr Henaduriaeth i roi punt am bunt drwy drefnu casgliad arbennig. Ond roedd Evan Jones eisoes wedi ymrwymo i godi cronfa arall yn genedlaethol ac roedd yn gwbl afreal ac annoeth gofyn i bobl gefnogi dwy gronfa yr un pryd. Yn ôl tystiolaeth Emyr Thomas, cronfa Robert Bevan Ellis a gariodd y dydd. Fel yn stori'r Beibl, dyma'r cawr yn gorfod ildio i Dafydd! A oes sail i'r stori, ac os oes, beth oedd cronfa Evan Jones? Fel arfer, nid oes blas nofel ar gofnodion Henaduriaeth a Chymanfa Gyffredinol y Presbyteriaid ond pan fo rhywun ar drywydd rhyw ddirgelwch mae'r cofnodion hyn yn darllen fel stori antur. Dyma'r ffeithiau am y ddwy gronfa.

Yn 1898, daeth cylchlythyr i sylw Cymdeithasfa'r De gan ryw ŵr a oedd yn mynegi'r awydd am weld y Cyfundeb yn dilyn esiampl y Wesleaid, sef dathlu diwedd canrif drwy gasglu miliwn o bunnau at amcanion cyfundebol. Cyfeiriai'r cylchlythyr at ddyled y capeli a oedd yn £330,000.

Yn 1899, ar Fai 16-18, roedd y Gymanfa Gyffredinol yn cael ei chynnal yng Nghapel Fitzclarence Street, Lerpwl. Ar y dydd Mawrth, fe drafodwyd y genadwri a ddaethai o Gymdeithasfa'r De a'r apêl am gasgliad arbennig.

Drannoeth ffurfiwyd pwyllgor o ddeuddeg aelod a rhoddwyd yr hawl iddynt benderfynu ym mha fodd y dylid gwneud y casgliad a beth fyddai amcan y gronfa. Un o'r deuddeg enw a ddewiswyd oedd Evan Jones, a oedd yn cwblhau ei dymor fel llywydd y Gymanfa Gyffredinol. Cyfarfu'r pwyllgor hwn yn Llandrindod ar Orffennaf 14 yr un flwyddyn ond ymddiheurodd Evan Jones am na allai fod yn bresennol. Galwyd y casgliad yn Gronfa'r Ganrif ac amcanwyd at gasglu can mil o bunnoedd o leiaf, sef punt gan bob aelod, a'r eglwysi cryfaf i gyfrannu'n helaethach er mwyn gwneud iawn am anallu'r eglwysi gwan i gyrraedd y nod. Roedd sawl achos i dderbyn cymorth o'r gronfa. Roedd aelodau'r pwyllgor yn gobeithio y byddai'r casgliad yn cael ei gwblhau o fewn dwy flynedd, sef erbyn diwedd y flwyddyn 1901.

Ym mis Chwefror 1898 ffurfiwyd pwyllgor gan Gyfarfod Misol Arfon 'i drafod gwaith cymdeithasol crefydd a dwyn y chwiorydd, yn arbennig, i gymryd diddordeb ynddo'. Penderfynodd y pwyllgor hwn i ofyn i'r eglwysi gadw llygad manwl ar hynt a helynt yr amddifaid o fewn cylch y Cyfarfod Misol. Hefyd penderfynwyd i ddwyn dylanwad ar warcheidwaid y plwyf, ac apelio ar iddynt ymarfer doethineb wrth ddelio â'r achosion a ddeuai ger eu bron. Pasiwyd hefyd i wneud ymchwiliad ymhlith aelodau'r eglwysi am deuluoedd priodol a fuasai'n ystyried mabwysiadau yr amddifaid. Hysbyswyd y Cyfarfod Misol gan y pwyllgor hwn, fod un o'r aelodau, sef fod Robert Bevan Ellis wedi cynnig darn o dir a mil o bunnau at adeiladu cartref i blant amddifaid. Derbyniwyd y cynigiad yn frwdfrydig a diolchgar. Roedd angen o leiaf fil a hanner o bunnau yn ychwanegol a olygai fynd ar ofyn aelodau capeli'r henaduriaeth. Cafodd Robert Bevan Ellis a phedwar arall eu cyfethol yn aelodau o'r pwyllgor hwn. Roedd Evan Jones eisoes yn aelod o'r pwyllgor gwreiddiol, ac ef oedd yn gyfrifol am annog y Cyfarfod Misol i dderbyn y cynigiad. Ef hefyd fu'n cadeiryddio'r pwyllgorau cynnar a fu'n gyfrifol am droi gweledigaeth R. B. Ellis yn ffaith, a chynhaliwyd y pwyllgorau hyn yn festri Capel Moriah, Caernarfon.

Cyfarfu Pwyllgor Cronfa'r Ganrif ar Fedi 22, 1899, yn yr Amwythig. Dywedodd John Owen, yr Wyddgrug, ac Evan Jones na fedrent fod yn gyfrifol am oruchwylio'r casgliad yn y Gogledd. Pasiwyd bod goruchwyliwr yn cael ei benodi dros bob Henaduriaeth yng Ngogledd Cymru. Dewiswyd Evan Jones yn oruchwyliwr ar Henaduriaeth Arfon. Ar Dachwedd 27, 1899, fe gyfarfu saith aelod o'r pwyllgor, yn cynnwys Evan Jones a Robert Bevan Ellis, ar dir Bronant, yn y Bontnewydd, er mwyn dewis y man mwyaf delfrydol i adeiladu'r cartref arno.

Ar Ebrill 16, 1902, bron iawn i dair blynedd ers y penderfyniad yn y Gymanfa Gyffredinol yn Lerpwl i sefydlu Cronfa'r Ganrif, a oedd i'w chwblhau cyn diwedd 1901, fe siaradodd Evan Jones yn Henaduriaeth Arfon, gan roi anerchiad grymus ar ran Pwyllgor Cronfa'r Ganrif, yn pwysleisio ei bod yn hwyr glas iddynt gyflawni'r addewid. Awgrymodd y dylid trefnu casgliad o dŷ i dŷ yng nghylch yr Henaduriaeth.

Roedd rhywun neu rywbeth go bwysig wedi oedi Henaduriaeth Arfon rhag cyflawni Casgliad y Ganrif, yn arbennig pan ystyrir bod y Gronfa wedi ei dechrau yn y Gymanfa Gyffredinol ar derfyn llywyddiaeth Evan Jones, a'i fod yn aelod o bwyllgor y Gronfa. Roedd hefyd yn aelod o'r pwyllgor a roddodd wybod i Henaduriaeth Arfon am gynnig hael R. B. Ellis.

Fel aelod o Henaduriaeth Arfon, fe wyddai R. B. Ellis, yn sicr, gymaint a olygai Cronfa'r Ganrif i Evan Jones. Gwyddai, hefyd, nad oedd yr hen filwr yn hoffi i neb fynd yn groes i'w gynlluniau. Ond dyna'r union beth a wnaeth R. B. Ellis. Mae hyn yn dweud llawer am gryfder ei gymeriad a hefyd am angerdd ei argyhoeddiad i sefydlu cartref i'r amddifaid. Mae'n amlwg bod Evan Jones wedi ildio. Roedd yn ddigon o wleidydd crefyddol i sylweddoli y byddai cronfa i gael cartref i blant bach amddifaid yn mynd at galon pobl ac yn apelio llawer mwy na Chronfa'r Ganrif. Nid oedd ganddo fawr o ddewis. Mae hi'n bosib i'r ddau ohonyn nhw gyfaddawdu. Hwyrach fod R. B. Ellis wedi cyfrannu'n hael at Gronfa'r Ganrif. Mae'n ddiddorol sylwi yng nghofnodion Henaduriaeth Arfon yn Ebrill 1902, pan apeliodd Evan Jones ar ran Cronfa'r Ganrif, i'r Henaduriaeth hefyd benodi R. B. Ellis yn drysorydd i Drysorfa'r Gweinidogion. Ei diben oedd cynorthwyo gweinidogion a'u teuluoedd ar adegau o waeledd, henaint a phrofedigaeth.

Roedd Evan Jones yn rhengoedd pwysau trwm gweinidogion y Methodistiaid Calfinaidd ac yn fath o ddyn a allai ddweud, fel Mohamed Ali, 'I'm the greatest', er bod cewri fel T. J. Wheldon, Thomas Levi, David Phillips, y Bala, Dr Owen Thomas, Lerpwl, a'r Prifathro Dr T. C. Edwards, yn gyfoeswyr iddo. Roedd hefyd yn ddigon grasol a chyfrwys i blygu ac ildio am unwaith cyn diwedd yr ornest.

Gwyddai Robert Bevan Ellis yntau sut i drin pobl, hyd yn oed rhai o statws Evan Jones, Caernarfon. A chan fod ei weledigaeth yn ymwneud ag adeiladu cartref i'r anghenus, fe wyddai hefyd sut i fynd â'r maen i'r wal.

7. CARDOD PLWYF

Nid oes urddas o gwbl i'r enw 'cardod', ddim mwy nag sydd i'r berfenw 'cardota'. Druan o dlodion y bedwaredd ganrif ar bymtheg, nid oedd ganddynt fawr o ddewis – roedd yn rhaid iddynt fegera a mynd ar drugaredd Bwrdd y Gwarcheidwaid ac os oedd trugaredd i'w gael, bron nad oedd yn werth poeri arno. Roedd bod ar y plwy yn waradwydd ac yn ergyd i hunan-barch. Roedd gan y tlodion achos i gasáu'r gyfundrefn a'r gwarcheidwaid. Pam, felly, y cytunodd Robert Bevan Ellis i fod yn aelod o Fwrdd Gwarcheidwaid y Tlodion ac yntau bob amser yn ochri gyda'r anghenus ac yn teimlo i'r byw drostynt? Yng nghyfrol werthfawr y Parchedig Richard Thomas sy'n olrhain hanes Cartref Bontnewydd, dywed yr awdur:

> Credwn mai o ymdeimlad o ddyletswydd y rhoes Mr Ellis gymaint o'i amser i ddadlau dros drueiniaid y tir. Yn wir, treth go fawr oedd i un o'i fath ef gyd-eistedd â dynion a ofalent, y mwyafrif ohonynt, fwy am gadw trethi i lawr nag am 'godi'r gwan i fyny' – y gwan hen a'r gwan ifanc, y naill fel y llall. Yn bennaf dim, yr oedd gweld plant diniwed a'u tynged yn llaw dynion di-weledigaeth a dideimlad yn boen ddirfawr iddo, oblegid, iddo ef, achub y plant a chael heulwen i'w bywyd oedd y neges gyntaf. Llawer tro y daeth adref o Gaernarfon a disgyn yn flinedig yn ei gadair gan ddywedyd 'O, na byddai gennym fel eglwysi Ymneilltuol gartref cysurus i noddi'r 'rhai lleiaf hyn' mewn cariad a chydymdeimlad, a hwylio'u cerddediad ar ffordd bywyd'.

Drwy fod yn aelod o Fwrdd Gwarcheidwaid y Tlodion, medrodd ei uniaethu ei hun â phrofiad yr emynydd:

> Fe all mai drygau'r byd a wna
> I'm henaid geisio'r doniau da.
>
> J. G. Moelwyn Hughes

Mae Cartref Bontnewydd yn dystiolaeth am hynny.

Er mwyn deall yr ing a achosai'r gyfundrefn i ddyngarwyr teimladwy fel

Robert Bevan Ellis, mae'n rhaid camu'n ôl i ddechrau'r bedwaredd ganrif ar bymtheg, ac ystyried hynt a helynt y tlodion o dan y gyfundrefn hyd at ddechrau'r ugeinfed ganrif. Llwyddodd Charles Dickens yn ei nofelau i bortreadu'r camwri yn gignoeth ac yn eithriadol o effeithiol. Yr un oedd y sefyllfa yng Nghymru fel yn Lloegr a cheir dadansoddiad byw iawn o'r sefyllfa fel yr oedd yn nechrau'r bedwaredd ganrif ar bymtheg yn nhraethawd M.A. Cledwyn Flynn Hughes, 'Aspects of Poor Laws and Administration in the Counties of Anglesey and Caernarfon, 1760-1834', Ebrill,1945. Nid yw'r dadansoddiad yn un dymunol ac mae'n yn adrodd cyfrolau am drueni'r tlodion.

Yn 1815, nid oedd ond un wyrcws ym Môn ac Arfon, a hwnnw yng Nghaernarfon. Erbyn 1832, nid oedd sôn am y wyrcws hwnnw ond roedd clwstwr o fythynnod i dlodion a'u teuluoedd yn Llanbeblig – y rhent oedd pedair punt y flwyddyn ond roeddent yn ddi-dreth. Efallai mai'r wyrcws oedd y rhain wedi ei addasu'n gartrefi i'r tlodion (a chyda llaw, nid yw 'tloty' yn cyfleu'r hyn a geir yn y gair Saesneg *workhouse* – mwy nag yw 'tlotyn' yn cyfleu ystyr y gair *pauper*). Nid oedd unrhyw arolygiaeth ar y bythynnod a châi'r trigolion fyw yno fel y mynnont – plant ac oedolion a phob math o bobl yn byw ar draws ei gilydd. O ganlyniad, roedd yno dwrw a helynt, llygredd ac anfoesoldeb, diogi, tlodi a dioddefaint mawr. Dyma'r cyfnod pryd yr anfonid plant amddifaid o Ogledd Cymru i weithio yn y melinau cotwm yn Blackbarrow, yn swydd Gaerhirfryn. Rhwng 1821 ac 1825, anfonwyd llond troliau o blant yno at ddieithriaid i weithio yn y ffatrïoedd.

Yn 1834, daeth y Ddeddf Ddiwygio i fodolaeth a chondemniwyd yr arferiad o ganiatáu i bawb o bob oed fyw gyda'i gilydd mewn wyrcws. Dywed yr adroddiad y dylid neilltuo lle ar wahân i blant a hynny o dan arolygiaeth ac y dylid darparu addysg iddynt.

Yn 1834, hefyd, ffurfiwyd Bwrdd y Gwarcheidwaid gan Weinyddwyr y Ddeddf Ddiwygio a rhoddwyd iddynt awdurdod dros nifer o blwyfi wedi eu grwpio'n undebau. Roedd yn Undeb Caernarfon un plwyf ar ddeg.

Nid oedd gan berchnogion y *North Wales Chronicle* fawr i'w ddweud wrth lywodraeth y dydd, y Chwigiaid, a llai fyth, yn sicr, wrth Fyrddau'r Gwarcheidwaid, ac nid oedd agwedd y papur hwn fawr o gymorth i leihau'r casineb cyffredinol a fodolai tuag at y Gwarcheidwaid, yn arbennig o du'r tlodion.

Mae'n amlwg bod rhagor rhwng tlotyn a thlotyn yn ei drueni. Gwahaniaethwyd rhwng y tlodion a ymdrechai rywsut neu'i gilydd i fod yn hunangynhaliol a'r tlodion (*paupers*) a orfodwyd gan amgylchiadau i ofyn am gardod plwyf. Gofalai polisi'r gyfundrefn fod y tlodion hyn yn waeth eu byd na'r llafurwyr tlawd cyffredin ac, oherwydd hynny, roedd y rheini'n barod i dderbyn cyn lleied â phum neu chwe swllt yr wythnos o gyflog yn hytrach na gorfod mynd i'r wyrcws. Yng ngolwg y gyfundrefn, y tlodion eu hunain oedd yn gyfrifol am eu tlodi ac nid amgylchiadau bywyd, felly roedd y tlodi gwaethaf yn drosedd – trosedd a gwarth ynghlwm wrtho. Roedd y gyfundrefn hon yn un ddieflig gan ei bod yn gwbl fwriadol yn dinoethi'r tlodion hyn o bob cerpyn o hunan-barch. Pan gollir hwnnw, fe gollir y cwbl ac fe sudda'r truan i drobwll anobaith.

Fel arfer, roedd y landlordiaid a'r boneddigion yn fodlon gwasanaethu ar Fwrdd y Gwarcheidwaid. Nid oedd anfon y tlodion i'r wyrcws yn eu poeni o gwbl, gan fod cynnal y wyrcws yn llai costus na rhoi cymhorthdal i'r tlodion ac felly'n lleihau'r dreth iddynt hwythau. Etholwyd hwy'n aelodau o Fwrdd y Gwarcheidwaid yn ôl nifer y pleidleisiau a oedd ganddynt ac roedd y pleidleisiau hyn yn amrywio'n ôl swm y dreth a dalent fel tirfeddianwyr. Roedd yn anochel mai dim ond bonedd y dosbarth uchaf a'r dosbarth canol uwch a fedrai gael eu hethol ar Fwrdd y Gwarcheidwaid.

Beirniadwyd rhai meddygon gan y Gwarcheidwaid am ganiatáu rhagor o fwyd a diod i gryfhau a gwella cleifion yn y wyrcws. Nid eu gwerth fel pobl oedd yn cyfrif ond y gost o'u cynnal. Pan fyddai un o'r tlodion hyn yn marw, Bwrdd y Gwarcheidwaid oedd yn gorfod ysgwyddo'r gost os nad yr arch – arall gariai honno, a go brin ei bod o bren derw na hyd yn oed *pitch pine*. Llwyfen blaen ddi-addurn oedd deunydd arch y tlotyn y pryd hwnnw.

Gwaetha'r modd, anaml y gwireddwyd argymhellion Adroddiad 1834 i wahanu pobl y wyrcws oddi wrth ei gilydd yn ôl eu hoedran, eu rhyw, ac ati. Roedd y gwaethaf yn byw'n gymysg gyda'r gorau heb ddarpariaeth arbennig ar gyfer y cleifion a'r rhai'n sâl yn feddyliol. Bu sawl Oliver Twist llwglyd yn nhlotai Cymru hefyd. Hyd yn oed pe baent yn meiddio gofyn am ragor o fwyd, nid oedd gobaith cael briwsionyn yn ychwanegol. Nid oedd amrywiaeth yn y fwydlen chwaith, ac roedd y bwyd a ddarperid yn undonog ac yn brin o faeth.

Heb amheuaeth, roedd y Gwarcheidwaid yn rhoi sylw i'r cyllid ar draul anghenion y rheidusiaid. Nid oedd gan fam ddi-briod obaith i ddisgwyl mwy na swllt yr wythnos i'w chynnal hi a'i phlentyn ac, yn amlach na pheidio, ni thelid iddi am wythnosau. Roedd hynny'n ffordd hwylus i'w chael i'r wyrcws. Wedi iddi fynd i'r wyrcws, ni châi ei phlentyn 'chwaith addysg werth ei chanmol. Roedd yna bum categori yn yr addysg a oedd yn cael ei ddarparu yn y wyrcws: 1. Trefniadaeth; 2. Disgyblaeth; 3. Dulliau dysgu; 4. Hyfforddiant; 5. Nifer athrawon. Adroddwyd y canlynol am yr ysgol yn wyrcws Caernarfon:

1. Offer a chyfarpar da.
2. Da.
3. Dim.
4. Difaterwch – y bechgyn yn medru gwneud symiau adio, ond nid symiau cymhleth. Heb fod yn fedrus 'chwaith mewn ysgrifennu.
5. Ysgolfeistr ac ysgolfeistres.

Os dywedwyd bod y ddisgyblaeth yn dda, yr oedd heb os nac oni bai yn llym.

Yn ei draethawd ar Ddatblygiad Deddf y Tlodion, cyfeiria Cledwyn Flynn Hughes at feirniadaeth hallt a wnaed o'r wyrcws yn Lloegr yn 1852 a hynny gan gyfreithiwr uchel ei barch o'r enw Robert Pashley.

Dywedodd Robert Pashley fod amcanion sylfaenol y wyrcws yn waeth nag eiddo'r gwallgofdai a'r carchardai gwaethaf ac nad oedd un dim yn holl gyfandir Ewrop y gellid ei gymharu â'r wyrcws. Roedd y sefydliad hwn yn warth ar Loegr. Yr un gyfundrefn a fodolai yng Nghymru, hefyd, wrth gwrs.

Erbyn 1871, bu peth newid er gwell a diddymwyd Bwrdd y Ddeddf Ddiwygio a throsglwyddwyd yr awdurdod canolog yn uniongyrchol i'r Bwrdd Llywodraeth Leol. Yn 1884, bu rhagor o ddiwygio ar Deddf 1834:

- Yn 1891-2, caniatwyd i drigolion y wyrcws gael llyfrau, tybaco a snisin, a theganau i'r plant.
- Yn 1893, rhoddwyd hawl i Bwyllgorau Ymweld y Chwiorydd wneud arolwg o'r wyrcws.
- Yn 1894, rhoddwyd caniatâd i warcheidwaid y wyrcws rannu dail te, siwgr a llefrith i'r merched i'w galluogi i wneud eu te pnawn eu hunain.
- Yn 1897, cyflogwyd nyrsys hyfforddedig i ofalu am y cleifion ymhlith y tlodion.

Er hyn, roedd y Bwrdd Llywodraeth Leol newydd yn dal i lynu wrth yr hen syniad bod tlodi yn destun gwawd a gwarth. Roedd hynny i'w weld yn amlwg yn yr orfodaeth ar ddeiliaid y wyrcws i wisgo dillad arbennig *(paupers' uniform)* a oedd yn arwydd o'u statws israddol mewn cymdeithas. Hefyd, roedd eu safle israddol yn golygu nad oedd ganddynt hawliau cymdeithasol a gwleidyddol llawn, er enghraifft yr hawl i bleidleisio.

Dyna'r sefyllfa a fodolai pan ddaeth Robert Bevan Ellis yn aelod o Fwrdd y Gwarcheidwaid.

Yn nhraethawd doethuriaeth Dafydd Llywelyn Jones, 'Gweithrediad

Deddf y Tlodion 1834 yn Undeb Bangor a Biwmares rhwng 1837 a 1871', ceir darlun manwl ac ingol o amodau byw yn y wyrcws. Rhydd gryn sylw i'r swyddogion a gyflogwyd gan warcheidwaid Undeb Bangor a Biwmares i weithio yn y wyrcws, a hynny oherwydd bod 'effeithiolrwydd y rhan fwyaf o ddigon o wyrcwsys ym Mhrydain yn dibynnu i gryn raddau ar gymeriad a natur y meistr a'r feistres'. Yn rhy aml, roeddent yn bersonau anaddas ac roedd eu hamodau gwaith hwythau hefyd yn annheg. Cyfeirir yn y traethawd at y ddisgyblaeth a weinyddid ganddynt, sef un arw a chreulon, ac nid oedd fawr wahaniaeth rhwng disgyblaeth yn y wyrcws a'r ddisgyblaeth yng Ngharchar Biwmares.

Yn 1850, bu achos llys yn erbyn meistr wyrcws Biwmares ar gyhuddiad mai ef oedd tad plentyn un o reidusiaid y wyrcws a oedd yn ei ofal. Roedd un o'r ynadon yn warcheidwad Undeb Bangor a Biwmares a dywed Dafydd Llewelyn Jones fod ymdrech wedi ei gwneud hwyrach 'i gadw enw da'r Undeb ac i geisio sicrhau nad oedd unrhyw anhrefnusrwydd o fewn y wyrcws yn cael cyhoeddusrwydd'.

Nid oedd Daniel Owen, ac yn arbennig Charles Dickens, yn gorliwio creulondeb ac annhegwch y wyrcws, ac ategir hynny gan Dafydd Llewelyn Jones. Ei waith ef yw'r bennod nesaf sy'n sôn am 'Stigma Plant y Plwyf.' Stigma a oedd yn rhan annatod o fywyd rheidusiaid yn y wyrcws:

> Mae llawer iawn wedi cael ei ddweud a'i ysgrifennu am y wyrcws, ac fe'i ystyrir yn un o sefydliadau enwocaf a mwyaf brawychus y bedwaredd ganrif ar bymtheg. Cysylltir ef a chaledi a chreulondeb a'i bortreadu mewn llawer o weithiau ffeithiol, hanesyddol a chreadigol fel uffern ar y ddaear.

Ceir awgrym pendant o hyn yn nheitl darlith Geraint Jones, 'Carchar, nid Cartref' (1992), sy'n olrhain hanes wyrcws Pwllheli.

Drwy fod yn aelod o Fwrdd Gwarcheidwaid y Tlodion, agorwyd llygaid Robert Bevan Ellis ac, yn anochel, bu'r wyrcws a'i amgylchiadau garw yn gyfrifol am fodolaeth Cartref Bontnewydd.

8. STIGMA PLANT Y PLWYF
(Dafydd Llewelyn Jones)

Roedd Deddf y Tlodion 1834 yn garreg filltir sylweddol yn y berthynas dymhestlog honno rhwng yr unigolyn a chymdeithas, roedd hi hefyd yn sylfaen i bolisi cymdeithasol yng Nghymru a Lloegr hyd ganol yr ugeinfed ganrif. Dyma'r ddeddf a lywiodd agwedd a meddylfryd y gymdeithas tuag at y rhai oedd yn ddibynnol ar eraill am eu cynhaliaeth, gan gynnwys plant, am ganrif a rhagor, a gellir dadlau, yn ogystal, bod ei dylanwad wedi ymdreiddio i ideoleg yr unfed ganrif ar hugain.

Amcan canolog Deddf 1834 oedd lliniaru'r nifer cynyddol o bobl oedd yn ddibynnol am eu cynhaliaeth, yn arbennig felly yr abl-corfforol. Ystyriwyd y rhai a ofynnai am gymorth fel unigolion gwan, a oedd yn dioddef o wendid yn eu cymeriad, ac er mwyn cywiro'r nam hwn, rhaid oedd eu trin yn llym a'u hargyhoeddi o werth byw bywyd annibynnol, yn rhydd o unrhyw ymyrraeth gwladwriaethol. Erbyn heddiw, ystyrir y fath safbwynt yn sarhaus a nawddoglyd, ond yn negawdau cyntaf y bedwaredd ganrif ar bymtheg, roedd yr agwedd haearnaidd yma'n gwbl dderbyniol a llesol. Fodd bynnag, un o wendidau sylfaenol y Ddeddf oedd ei bod wedi canolbwyntio'n benodol ar gyfer y rhai oedd yn iach ac yn economaidd weithredol, gan ddi-ystyru anghenion carfanau eraill, yn arbermig felly y plant a'r llesg.

O safbwynt y sefyllfa yng Nghymru, nid cyflwr o ddibyniaeth oedd asgwrn y gynnen, ond yn hytrach tlodi gwirioneddol. Wrth gasglu gwybodaeth am natur y ddarpariaeth i'r anghenus dan gymalau Hen Ddeddf y Tlodion – oedd â'i gwreiddiau yn yr unfed ganrif ar bymtheg – cydnabu yr Is-gomisiynydd, Stephen Walcott, bod gwir angen yn boenus o amlwg ymhlith y boblogaeth, ac nad oeddent yn fwriadol yn ceisio ecsbloetio unrhyw gymorth a gynigiwyd iddynt. Fodd bynnag, pan ddaeth hi'n fater o lunio'r ddeddfwriaeth, di-ystyriwyd geiriau Walcott bron yn llwyr, a phan basiwyd Deddf y Tlodion ym 1834, gwelwyd chwyldro yn narpariaeth gwladwriaethol tuag at yr anghenus.

Cyplysir Deddf 1834 gyda'r wyrcws, sef symbol diriaethol o'r gwarth a brofwyd o fod yn ddibynnol. Daeth yr adeilad hwn yn flaenllaw yn yr ymgyrch i wahaniaethu rhwng y tlawd a'r rheidusiaid (yn Saesneg, *paupers*). Aed ati i geisio sicrhau bod amodau byw o fewn muriau'r sefydliad hwn yn waeth na safon byw y rhai a ymdrechai i fyw'n annibynnol a chynnal eu hunain yn y gymuned. Yn ymarferol wrth gwrs, yr oedd hyn bron yn amhosib, gan bod safon byw nifer helaeth yn y gymdeithas mor ddychrynllyd o isel, felly ceisiwyd tanlinellu'r gwahaniaeth drwy bwysleisio'r stigma o orfod preswylio yn y wyrcws, gan eu gwneud yn aelodau 'llai dewisol' o gymdeithas. Gwelir enghraifft o hyn ym mis Medi 1862, pan ysgrifennodd rhywun lythyr dan y llysenw 'A RATE PAYER' yn y *Carnarvon and Denbigh Herald*, yn cyffelybu rheidusiaid wyrcws Caernarfon i fwncïod, a hynny oherwydd eu bod yn gorfod defnyddio eu dwylo i fwyta.

Yr oedd yr egwyddor 'llai dewisol' hyn yn ganolog i lwyddiant Deddf y Tlodion 1834, ond profwyd problem yng nghyd-destun y ddarpariaeth i blant. Gan nad oeddent yn cael eu gweld yn llwyr gyfrifol am eu cyflwr o ddibyniaeth, yr oedd cefnogaeth i'r egwyddor o'u haddysgu a'u paratoi ar gyfer y byd mawr. Ond nid rhesymau dyngarol oedd y tu cefn i'r fath feddylfryd, oherwydd ystyrid mai da o beth fyddai eu haddysgu a'u prentisio ar gyfer galwedigaeth, er mwyn sicrhau na fyddent yn faich i drethdalwyr y dyfodol. Yn groes i'r fath gred, yr oedd yr ofn y byddai sicrhau darpariaeth gynhwysfawr i blant y rheidusiaid yn debygol o demtio y rhai a ymdrechai i fyw'n annibynnol, ac yn rhydd o gymorth gwladwriaethol, i droi'n ddibynnol, neu o adael eu plant yng ngofal yr Undeb, sef yr uned weinyddol leol a sefydlwyd i weithredu Deddf 1834. Er enghraifft, yng nghanol Gorffennaf 1854 caniatawyd i blant William Williams aros yn wyrcws Bangor am wythnos, tra yr oedd ef yn mynd i chwilio am waith. Ond ni ddychwelodd o fewn y dyddiad penodedig, ac fe'i ddedfrydwyd i garchar Caernarfon am amddifadu ei blant. Yr oedd enghreifftiau o'r fath yn codi cwestiwn sylfaenol bwysig: sut oedd cynorthwyo plant y dibynnol heb wneud i'r ddarpariaeth fod yn atyniadol? Parai y cwestiwn hwn gryn anesmwythyd i Warcheidwaid, sef unigolion *ex-ifficio* ac etholedig lleol oedd yn rheoli'r undebau, yn arbennig felly gan bod rhai ohonynt yn arweinwyr blaenllaw o'r gymdeithas. Yn rhinwedd eu statws, yr oedd yn ofynnol iddynt gael eu gweld fel rhai oedd yn gweithredu er lles buddiannau'r trethdalwyr ond, ar y llaw arall, yr oeddynt am gael eu hystyried yn ddyngarol ac yn Gristnogion da drwy gynorthwyo achosion teilwng a haeddiannol, megis lles plant y plwyf.

Wrth drafod union ddyletswyddau athrawon yn y wyrcws, mynnodd Dr Owen Owen Roberts, un o Warcheidwaid Undeb Bangor a Biwmares, mai un o brif amcanion yr addysg a roddwyd yno oedd: '*to teach them their duties towards God, and their neighbours.'* Ddiwedd 1848 hybyswyd yn y papurau lleol bod Undeb Pwllheli yn awyddus i benodi ysgolfeistres yn y wyrcws, gan nodi bod disgwyl i'r ymgeisydd llwyddiannus ddysgu'r merched sut i wnïo. Ceisiodd y corff canolog sicrhau bod addysg mwy systematig yn cael ei gynnig i'r plant, ond yn lleol yr oedd cefnogaeth gref i'r egwyddor o'u hyfforddi ar gyfer galwedigaeth benodol, yn hytrach na chynnig addysg iddynt, fel y tystia geiriau Roberts mewn cyfarfod ym Mangor ar ddiwedd mis Mehefin 1847: *'It is quite preposterous to suppose that . . . Children are to be merely taught "book learning" . . . as if they were at a Boarding School.'* Mae'n amlwg yn ôl geiriau Roberts, mai'r flaenoriaeth oedd prentisio plant ar gyfer crefft fyddai'n eu harwain at hunangynhaliaeth, a chytunwyd y dylai pob plentyn gael dillad addas pe baent yn cael y fath gyfle:

> *'Girls:* One bonnet, Two Aprons, or Brats, Two Frocks, Two Shirts, Two Flannel Petticoats, Two Upper Petticoats, Two Pair Stockings, Two Pair Shoes.
>
> *Boys:* One Hat or Cap, Two Jackets, Two Waist Coats, Two Shirts, Two Pair Trousers, Two Pair Stockings, Two Pair Shoes.'

Mewn rhai achosion, yr oedd y plant yn derbyn dillad ychwanegol i'r hyn a gafwyd yn y rhestr uchod – yr oedd llawer yn dibynnu ar y math o alwedigaeth yr oedd y plant i'w dilyn. Er enghraifft, ym mis Tachwedd 1845, derbyniodd John Williams, bachgen 14 mlwydd oed, ddau grys a phâr o sanau yn ychwanegol wrth ei brentisio i weithio yn swyddfa Henry Ford, cyfreithiwr o Gaer. Rhaid cyfaddef i Williams fod yn ffodus iawn gyda'r brentisiaeth yma, ni chai pob plentyn gyfle i weithio mewn swyddfa o'r fath. Yn gyffredinol, prentisiwyd y bechgyn yn bennaf i dair galwedigaeth, sef amaethyddiaeth, mordwyo a theilwra, tra bod y merched yn cael eu prentisio i weini.

Yn sicr, dylid pwysleisio bod amodau llym a chaeth iawn yn wynebu plant yn y wyrcws. Yn nechrau 1850, cyhoeddwyd llythyr yn y *Carnarvon and Denbigh Herald*, a oedd yn cyhuddo meistr wyrcws Bangor o chwipio plentyn yn ddi-drugaredd, ac er i ymchwiliad i'r mater ganfod mai gwialen fedw, yn hytrach na chwip, a ddefnyddiodd Hugh Williams, mae'r ffaith iddo gadw'i swydd yn dilyn y digwyddiad yn tystio i'r ffaith bod trefn haearnaidd yn bodoli o fewn y sefydliadau hyn. I gyd-fynd â'r ddisgyblaeth hyn, yr oedd undonedd yn nodwedd amlwg o fywyd yn y wyrcws, ac adlewyrchwyd hyn yn y math o fwyd a roddwyd i blant. Er bod disgresiwn wedi'i roi i staff wyrcws Bangor i baratoi bwyd yn ôl anghenion plant dan naw oed, yr oedd rhai rhwng naw a thair ar ddeg mlwydd oed yn cael yr un dogn a'r merched. Ym 1846, golygai hynny mai deuddeg owns o siwet neu bwdin reis oedd yr arlwy ar gyfer cinio dydd Sul, gyda saith owns o fara a dwy owns o gaws i swper. Ganol yr wythnos, cynigiwyd chwe owns o fara gyda pheint a hanner o uwd-llefrith neu griwel i frecwast, tra mai pedair owns o fara a pheint a hanner o botes oedd ar y fwydlen amser cinio. Digon llwm oedd y bwyd i drigolion y wyrcws felly, a does ryfedd iddynt ddioddef o heintiau a salwch yn gyson. Er hynny, ymddengys bod y plant yn cael eu hystyried fel carfan a oedd yn haeddu cefnogaeth, ac mewn rhai enghreifftiau trefnwyd gweithgareddau yn arbennig ar eu cyfer, fel y tystiodd *The North Wales Chronicle* ym 1857:

> The Children of the Bangor Workhouse proceeded on Monday last on a pleasure trip to Chester, under the superintendence of Mr Meshach Thomas, the Schoolmaster, assisted by Mr Richard Rowlands, the Workhouse Porter. It will be very satisfactory to the kind friends who contributed towards the excursion, to know that the Children through the unremitting attention of Messrs. Thomas and Rowlands, enjoyed themselves exceeding in the noble old city of Chester; and the trip by rail, which was so new to them, will be remembered for a long time to come. Too much cannot be done to make pauper children forget that they are a burden to the public, and we look on this trip as a step in the right direction.

Mae brawddeg olaf y dyfyniad yn cadarnhau bod plant yn cael eu gweld fel carfan a oedd yn haeddu cymorth a bod teithiau o'r fath yn bwysig iddynt. Yr hyn sy'n eironig yw'r cyfeiriad at y ffaith bod y profiad o deithio ar drên yn rhywbeth hollol newydd i blant y wyrcws, a theg yw gofyn pa mor gyffredin oedd y profiad i blant teuluoedd tlawd annibynnol yn y gymdeithas. O dderbyn hyn, gellir gweld nad oedd yr egwyddor 'llai dewisol' yn gwbl berthnasol yn y ddarpariaeth i blant y rheidusiaid.

Teg yw dweud i'r Gwarcheidwaid, yn ystod blynyddoedd cynnar gweithrediad Deddf 1834, ganolbwyntio bron yn llwyr ar sicrhau bod unrhyw ddarpariaeth a gynigiwyd i'r dibynnol, gan gynnwys plant, yn cael ei ganoli yn y wyrcws. Fodd bynnag, gyda threigl amser, daethpwyd i sylweddoli nad oedd sefyllfa'r rheidusiaid mor syml ag y dybiwyd yn wreiddiol, tlodi yn hytrach na rheidusiaeth oedd asgwm y gynnen yn y mwyafrif helaeth o achosion. Yr oedd hyn yn arbennig o wir yng nghyd-destun ardaloedd yng Nghymru, nid arwydd o wendid neu ddiffyg cymeriad oedd wrth wraidd sefyllfa druenus nifer o bobl oedd yn ddibynnol ar y plwyf. Bu diffyg profiad a phlwyfoldeb yn gyfrifol am lu o gamgymeriadau o du'r Gwarcheidwaid yn ystod y degawdau cyntaf, ond erbyn chwarter olaf y bedwaredd ganrif ar bymtheg, daethpwyd i sylweddoli bod gofynion ac anghenion rheidusiaid sir Gaernarfon yn fater cymhleth ac astrus, yn arbermig felly yng nghyd-destun y ddarpariaeth i blant.

9. Y CARTREF YN Y WASG

Pa rai o'r papurau newyddion oedd *tabloids* 1902? A oedd *Yr Herald Cymraeg, Y Goleuad, Gwalia, Y Genedl, Y Werin* a'r *Eco* yn eu plith? Mae *Geiriadur Rhydychen* yn diffinio tabloid fel papur newydd ac iddo arddull boblogaidd ac wedi ei argraffu ar dudalennau hanner y maint arferol. Nid oedd yr *Herald Cymraeg* ymhlith y *tabloids* os bernir hynny yn ôl ei fesuriadau, oherwydd roedd y tudalennau'n ddwy droedfedd o hyd ac yn droedfedd a hanner o led. Roedd maint *Y Goleuad* yn nes ati! Beth am yr arddull wedyn? A oedd *Yr Herald* yn bapur poblogaidd? Heb amheuaeth, roedd iddo werthiant uchel a chylchrediad eang iawn, ac wedi'r cwbl roedd cystadleuaeth frwd am gwsmeriaid yn y byd newyddiadurol. Roedd *Y Genedl* (1877), *Y Werin* (1885) a'r *Eco* (1899) yn eiddo cwmni arall ac yn boblogaidd iawn gyda'r bobl gyffredin. Roedd *Yr Herald* yn fwy difrifol. Os *Y Genedl* oedd 'papur y gegin', *Yr Herald*, yn sicr, oedd 'papur y parlwr'.

Os oedd newydd cyfoes o bwys i'w gyhoeddi, ni welid y newydd hwnnw, beth bynnag y bo'i natur, ar y dudalen flaen. Nid dyna'r drefn gyda'r papurau Cymraeg. Yr hysbysebion oedd piau'r dudalen honno. Fel heddiw, roedd yn rhaid i bob papur newydd dalu ei ffordd – diwedd y gân oedd y geiniog.

Roedd amrywiaeth yr hysbysebion yn *Yr Herald Cymraeg* yn rhyfeddol; er enghraifft:

- Baco'r Achos, *Lake & Co Ltd*, gyda llun dau glerigwr yn mwynhau catiad bob un.
- Gwlâu Haearn a Phres yn gwerthu am lai na hanner prisiau siopau eraill, Gwaelod Stryd y Llyn, Caernarfon.
- *Chivers' Jellies.*
- *Benson's Watches*, efo llun dwy *watch* boced.

Roedd y papurau crefyddol enwadol yn manteisio ar yr hysbysebion hefyd – yr unig wahaniaeth oedd natur yr hysbysebion hynny. Ar dudalen flaen *Y Goleuad*, roedd mwy nag un cwmni yn canmol eu meddyginiaethau at beswch – *Francis's Balsam*, er enghraifft, y feddyginiaeth fawr at beswch, a *Davies Tonic* at beswch a diffyg treuliad! A oedd mwy o besychu yn ystod yr oedfaon gan mlynedd yn ôl? Yn sicr, roedd yno lawer mwy o gynulleidfa i besychu! Hysbyseb ddigri wedyn, ond nid o fwriad, gan J. E. George, M.P.S, Hirwaun: *George's Pile and Gravel Pills* at boen cefn ac anhwylderau eraill. Ambell dro roeddent yn cael eu disgrifio fel *'The Pink Pills for Pale People'*. Chwarae teg, hefyd, i gynulleidfaoedd y cyfnod hwnnw a eisteddai ar seddau pren caled i wrando ar bregethau a oedd weithiau'n para am awr a mwy!

Roedd hysbysebion tudalen flaen *Y Goleuad* yr un mor niferus â hysbysebion yr *Herald Cymraeg* ac yn amrywio o Liw Glas *Reckitt's* i *Unfermented Wines – Genuine Grape Juice, free from alcohol, F. Wright, Mundy & Co, Merton Rd, Kensington, London*, a beth wmbredd ohonynt yn cyfeirio at esboniadau, llawlyfrau a llenyddiaeth grefyddol.

Hysbysebion, hefyd, oedd yn llenwi ail dudalen *Y Goleuad* ac, o bryd i'w gilydd, ymddangosai un ddigon annisgwyl yng nghanol 'Y Nodiadau Cymreig', sef mân newyddion y drydedd dudalen – llun pen ac inc o enethod digon del ond, yn wahanol iawn i'r rhai a welir ar drydedd dudalen y *Sun*, roedd pob un o'r rhain wedi eu dilladu o'u corun i'w sawdl, yn nodi bod dillad *John Noble, Brook Street Mill, Manchester*, i'w cael yn ddi-oed gyda'r *Parcel Post*.

Yn yr *Herald Cymraeg* wedyn, nodiadau gwleidyddol a newyddion o'r senedd a phrisiau a helynt y farchnad a lenwai'r ail dudalen. Byddai 'Powyson', Thomas Jones, a fu'n olygydd a chyhoeddwr *Y Genedl* yn ei dro, yn dweud ei bod hi'n bwysicach i'r Genedl gyhoeddi prisiau'r farchnad ym Mhwllheli a Chaernarfon na chyhoeddi erthygl olygyddol. Rhoddai trydedd dudalen *Yr Herald* sylw i symudiadau llongau, manylion am y rheilffyrdd, garddwriaeth, a stori gyfres, a'r golofn olygyddol â newyddion y dydd ar y bedwaredd dudalen a'r tudalennau eraill. Nid oedd newid ar y drefn hon hyd yn oed pe bai'r wasg yn cael sgŵp syfrdanol.

Er nad oedd hanes agor Cartref Bontnewydd yn sgŵp syfrdanol, yr oedd yn ddigon pwysig i flaenori ar bob stori arall yn rhifyn Mawrth 11, 1902, o'r *Herald Cymraeg* a chael y sylw golygyddol. Wedi'r cwbl, y Cartref hwn oedd yr unig un o'i fath yn hanes Ymneilltuaeth Cymru.

Mae'n wir bod yr hanes mewn print mor fân fel bod angen rhythu braidd wrth ei ddarllen. Onid oedd yr hanes yn teilyngu print bras? Mae'n rhaid cofio y câi llawer o'r gohebwyr yr adeg honno eu talu yn ôl hyd a maint yr erthygl. Ie, y geiniog eto oedd yn gyfrifol am y print mân hwn. Yn swyddfa'r *Herald Cymraeg*, roedd pren mesur a elwid yn 'bren mesur Llew Llwyfo' (Lewis William Lewis). Am fod erthyglau Llew Llwyfo yn rhai maith, roedd yn rhaid eu cywasgu er mwyn arbed costau! Ar y llaw arall, rhoddwyd wyth modfedd sgwâr i *Sebon Lifebuoy* gan fod hwnnw'n talu am ei le. Chwarae teg i'r *Herald* – os oedd y golofn olygyddol dan sylw mewn print mân, roedd yn golofn faith, a rhoddwyd sylw dyladwy i grefydd ymarferol.

Nid oedd *Gwalia*, papur y Torïaid, 'chwaith, yn grintachlyd yn hyd yr adroddiadau am y Cartref yn rhifynnau Mawrth 11 a Mawrth 18, 1902. Roeddent yn fanwl iawn. Ond, fel y gellid disgwyl, Y Goleuad a roddodd y sylw mwyaf i gyfarfod agoriadol Cartref Bontnewydd – tudalen gyfan bron iawn. Roedd adroddiadau'r holl bapurau seciwlar a chrefyddol at ddant darllenwyr a chymdeithas y cyfnod hwnnw.

Roedd *Gwalia* yn canmol 'Amddifatty' y Methodistiaid Calfinaidd yn Arfon, gan bwysleisio bod y gost o ddwy fil a hanner o bunnau wedi ei chlirio cyn y diwrnod agoriadol – R. B. Ellis ei hun wedi rhoi'r tir a mil o bunnau, a'r casgliad a wnaed o ddrws i ddrws, a hynny'n bennaf yn Arfon, yn fil a hanner o bunnau. Canmolwyd i'r entrychion yr ysgrifennydd a oedd yn gyfrifol am y casgliad a, hefyd, y modd y bu i bobl cylch Arfon gyfrannu o waelod eu calonnau mor ddirwgnach.

Pwysleisiai *Gwalia* mai dyma'r cartref cyntaf o'r natur hwn yn hanes Ymneilltuaeth Cymru, gan obeithio na fyddai'r olaf o'i fath. Heddiw, gan mlynedd yn ddiweddarach, gwyddom yn amgenach, a dyna paham y mae'n gartref unigryw yn hanes yr enwadau yng Nghymru.

Mae'n siŵr bod adroddiad *Gwalia* wedi plesio chwiorydd Arfon oherwydd rhoddir clod arbennig iddynt, gan iddynt fod yn amlwg ym Mhwyllgor Gwaith Cymdeithasol Crefyddol, Methodistiaid Calfinaidd Arfon a oedd yn gyfrifol am gefnogi cynnig brawd o flaenor heb wybod pwy ydoedd ar y pryd, a chymeradwyo'i rodd hael i'r Cyfarfod Misol. Canmolwyd hefyd y meddygon a benodwyd i wasanaethu'r Cartref fel *medical advisers*, am iddynt ddatgan y byddent yn rhoi o'u hamser a'u gallu yn rhad ac am ddim. Dau frawd oedd y meddygon hyn, sef Dr Jones Roberts a Dr Sheldon Roberts, Penygroes.

Dywedodd y gohebydd fod 'cynulleidfa luosog' wedi dod i'r seremoni agoriadol am hanner awr wedi un, brynhawn Iau, Mawrth 6, 1902. Yn dilyn, 'cynhaliwyd te parti yn ysgoldy capel y Methodistiaid'. Ganrif yn ôl, nid oedd yr un cyfarfod crefyddol yn gyflawn heb y te parti yn y festri! O ran hynny, rydym wrthi o hyd yn gwledda wrth ddathlu ond bod ychydig bach o newid yn y dull a'r fwydlen. Aeth y te parti yn barbeciw, ac yn lle'r bara brith, y brechdanau ham a'r blwmonj, ceir cibabs, byrgyrs a choesau cywion ieir. Do, yn ôl y papur newydd *Gwalia*, bu dathlu a gwledda gwerth sôn amdano y pnawn braf hwnnw yn nechrau Mawrth, 1902.

Roedd y gweisg eraill yr un mor frwdfrydig yn eu hadroddiadau am y seremoni agoriadol. Y Parchedig W. Jones Williams, ysgrifennydd y gronfa ac ysgrifennydd cyntaf y Cartref, oedd gohebydd *Y Goleuad*. Felly, roedd ei adroddiad yn eithriadol o fanwl ac yn llenwi tudalen gyfan fwy neu lai. Gan mai ef oedd yn gyfrifol am drefnu'r casgliad, gwyddai'n well na neb am y derbyniad a gawsai'r casglwyr o ddrws i ddrws. 'Mae'r Cartref,' meddai, 'wedi ennill ei le cyn ei agor, cymaint oedd y parodrwydd i gyfrannu'. Yr oedd yn naturiol iddo ef ymfalchïo bod y ddyled wedi ei chlirio'n llwyr. Yn fonws at hynny, roedd dodrefn gwerth tri chan punt wedi eu prynu, o ganlyniad i lafur cariad y chwiorydd dan arweiniad cymdoges i Mr a Mrs R. B. Ellis, sef Mrs J. W. Jones, Plasybryn.

Edrychai'r ysgrifennydd ymlaen at groesawu'r amddifaid i'r Cartref. Nid oedd ganddo ddim i'w ddweud wrth system y tlotai – y wyrcws fel y gelwid pob un o'r llefydd hyn. Roedd lle i ddeg ar hugain yn y Cartref, ac roedd 'merch ifanc deg, dalentog, ddysgedig a chrefyddol' wedi ei phenodi'n fetron i ofalu amdanynt, sef Miss Davies o Fethesda. Ond byr fu ei thymor; bu i'w thegwch, ei chrefydd a'i dysg – yn y drefn yna hwyrach – sicrhau modrwy ar ei bys ac aeth Miss Davies yn Mrs W. T. Ellis, priod gweinidog Aberllefenni.

Ceir yn erthygl yr ysgrifennydd enwau pawb a gymerodd ran yn y seremoni agoriadol:

- Gŵr lleol yn gofalu am y defosiwn agoriadol, David Williams, Llanwnda. Y fo oedd yn gofalu am yr achos newydd sbon yn Glanrhyd, Llanwnda, yn y cyfnod yma.
- Y llywydd oedd y Parchedig Richard Humphreys, y Bontnewydd, a gwnaeth ei waith yn ddoniol a bywiog. Da deall y gwyddai'r 'tadau parchus' gynt am hiwmor.
- Y trysorydd, John Davies (Gwyneddon) yn rhoi anerchiad ('Crefydd y Samariad Trugarog'). Fel bancer, ef oedd yr union un i ofalu am gyllid y Cartref a, hefyd, roedd yn areithydd adnabyddus ar lwyfannau Anghydffurfiaeth Gwynedd ac yn flaenor a dirwestwr amlwg. Dylid ei gyfrif yntau, hefyd, ymhlith arloeswyr newyddiaduriaeth ei ddydd – yn un o sylfaenwyr *Y Genedl Gymreig* (1877), argraffydd a golygydd cyntaf *Y Goleuad* (1869).
- R. B. Ellis yn trosglwyddo gweithred y tir yn eiddo i'r Henaduriaeth.
- Ei briod yn derbyn agoriad aur gan fachgen bach a oedd yn amddifad o dad, a Mrs Ellis yn ei thro yn ei ddefnyddio i agor y drws yn swyddogol. Rhodd gan y pensaer, Mr Taliesyn Rees, oedd yr agoriad. Yng nghyfrol Richard Thomas hefyd, *Cartre'r Plant* (1950), nodir i'r agoriad fod yn un aur. Rhyfedd, oherwydd y mae'r

agoriad hwnnw ar gael heddiw ac un arian ydyw. Cedwir ef yn y blwch gwreiddiol ac o'i fewn ar orchudd sidan y caead y mae'r arysgrif a ganlyn:

Watchmaker to the Admiralty
[Llun coron]
WILLIAM PYKE
GOLDSMITH
BIRKENHEAD

Wedi ei ysgythru ar yr agoriad, mae llun cywrain o'r Cartref, ac ar yr ochr arall y geiriau: Cyflwynwyd i Mrs R. B. Ellis ar yr achlysur o agoriad Y CARTREF, Bontnewydd, Caernarfon. Mawrth 6ed, 1902'. Hwyrach fod y gwneuthurwr yn eurych ond, heb unrhyw amheuaeth, o arian y gwnaed yr agoriad. Dywedir bod Mawrth 6, 1902 fel diwrnod o wanwyn a'r haul yn gwenu. Pwy a ŵyr na fu i belydr y wên honno wneud i'r agoriad ymddangos fel un aur yn llaw Mrs R. B. Ellis!

Os oedd y Parchedig R. Humphreys, llywydd y cyfarfod, yn feistr ar ffraethineb, fe wyddai hefyd sut i ddwysáu ei gynulleidfa, fel y dengys hanes y bachgen bach yn cyflwyno'r agoriad i Mrs R. B. Ellis. O'r holl bapurau newyddion, *Y Goleuad* yn unig a roddodd eiriau'r llywydd ar gof a chadw:

Tynnodd y llywydd ddagrau lawer wrth gyfeirio at enw y bachgen bach. 'John,' meddai, 'yw ei enw. John oedd enw ei dad, yr hwn nad yw bell oddi wrthym heddiw o ran ei ysbryd. John oedd enw ei daid, a John oedd enw ei hen daid – John Jones o Dalysarn. A bydded iddo yntau gael ei feddiannu ag ysbryd y tadau hyn.

Enw llawn gor-ŵyr John Jones, Talysarn, oedd John W. Lloyd Jones. Rhyfedd, a dweud y lleiaf, yw'r cyd-ddigwyddiadau yng nghylch bywyd. John Jones, Talysarn, ar ran Henaduriaeth Arfon yn gwrando ar ŵr ifanc yn pregethu, ac yn ei gymeradwyo. Chwe deg wyth o flynyddoedd wedi hynny, gor-ŵyr John Jones, Talysarn, yn un o'r cymeriadau amlwg, a'r ieuengaf, yn nrama seremoni agoriadol Cartref Bontnewydd.

R. B. Ellis, sylfaenydd y Cartref, yn fab i Robert Ellis, y gŵr ifanc a dderbyniodd gymeradwyaeth John Jones, Talysarn, i ddechrau pregethu. Y Sul ar ôl angladd John Jones, yr un a bregethodd o'i bulpud yng Nghapel Mawr, Talysarn, oedd Robert Ellis, a thystiodd fod hynny yn un o freintiau mawr ei fywyd. Gydag ychydig o ddychymyg, mae modd ail-fyw'r olygfa honno ar brynhawn braf o Fawrth, 1902: yr agoriad arian, a sgleiniai fel aur dan belydr yr haul, yn crynu yn llaw bachgen ifanc wrth iddo'i gyflwyno i Mrs R. B. Ellis – cymaint ydoedd y fraint a'r anrhydedd a gafodd yntau. Ie, rhyfedd o fyd !

Wedi agor y drws, roedd pawb yn disgwyl yn eiddgar am y cyfle i groesawu'r plant amddifaid i'r Cartref. O bryd i'w gilydd, ymddangosai hysbyseb yn *Y Goleuad*. Ymddangosodd y gyntaf yn rhifyn Mawrth 14, yr wythnos ar ôl y cyfarfod agoriadol:

> Cartref i'r Amddifaid, Bontnewydd, ger Caernarfon
>
> Dymunir hysbysu bod y Llywodraethwyr yn awr
> yn barod i dderbyn ceisiadau am dderbyniad i mewn
> i'r sefydliad uchod. Am fanylion, ymofynner â'r
> ysgrifennydd, Y Parch. W. J. Williams, Beddgelert.

Nid oes llawer o flynyddoedd er pan fu farw'r plentyn cyntaf a gafodd ei dderbyn i'r Cartref. Roedd yr argraff a roddodd y lle arno yn ddiddorol, ond mwy am hynny eto!

Erbyn diwedd y flwyddyn gyntaf, roedd dwsin o blant yng ngofal y Cartref, ac yn nechrau 1903 ymwelodd arolygydd y Bwrdd Llywodraeth Leol â'r Cartref. Ceir crynodeb o'i adroddiad yng nghyfrol Richard Thomas, *Cartre'r Plant*. Ni cheir unrhyw feirniadaeth negyddol yn yr adroddiad:

> Yr wyf yn falch o weled tŷ mor drefnus, siriol, a phwrpasol – y mae yma bopeth a allwn i ei awgrymu – ac, yn wir, i raddau mwy cyflawn ac ehangach . . . Yr oedd yr ymborth yn dda . . . a phopeth yn lân a destlus.

Fel y papurau eraill, rhoddodd *Yr Herald Cymraeg* hefyd sylw teilwng i'r seremoni agoriadol ond gan nad oes un dim gwahanol yn yr adroddiad hwnnw, gwell yw canolbwyntio ar y golofn olygyddol yn rhifyn Mawrth 11. Ysgrif ydoedd yn dwyn y teitl 'Crefydd Ymarferol'.

Un o nodweddion amlwg golygyddion rhai o bapurau Cymraeg Caernarfon yn niwedd oes Fictoria a dechrau'r ugeinfed ganrif oedd eu radicaliaeth gymdeithasol – pwnc trafod i Picton Davies wrth fwrdd brecwast, cinio, te a swper, ac roedd ei ragflaenydd, Daniel Rees, golygydd papurau'r *Herald* rhwng 1893 a 1907 yn drachtio o'r un ffynnon. Roedd yn rhyddfrydwr uniongred pybr ac mae teitl ei golofn olygyddol a'i chynnwys yn cadarnhau hynny. Gallai'r anerchiad a roddodd y trysorydd (Gwyneddon) yn y seremoni agoriadol fod wedi ysgogi pobl yr *Herald*, gan mai cymwynas a thrugaredd y Samariad Trugarog oedd neges Gwyneddon.

Diffinia Daniel Rees 'grefydd ymarferol' drwy ddyfynnu o Epistol Iago I:27, sef 'Crefydd bur a dihalogedig gerbron Duw ein Tad . . . ymweled â'r amddifaid a'r gwragedd gweddwon yn eu hadfyd'. Ni fedrai yn ei fyw ddeall sut y gallai un o'r Diwygwyr Protestannaidd alw Llythyr Iago yn *Epistol Gwellt*, a cheir ganddo amddiffyniad o Lythyr Iago a chrefydd ymarferol. Yna, defnyddia'i chwip radicalaidd gymdeithasol:

Gwaradwydd i'n gwlad Gristnogol, ers oesau, ydyw'r ffaith bod cynifer o blant amddifaid rhieni parchus yn gorfod ymlochesu yn y tlottai.

Diddorol yw sylwi bod *Yr Herald*, yn rhifynnau Chwefror a Mawrth 1902, yn rhoi lle i lythyrwyr a feirniadai Fwrdd Gwarcheidwaid y Tlodion yn Llanrwst a Chaernarfon. Nid oes gan y golygydd fawr i'w ddweud o blaid y tlotai ac wrth gyfeirio atynt dywed:

'. . . yn ddi-os, nis talai dim yn well i'r trethdalwyr yn y pen draw na threfnu rhagorach triniaeth nag erioed i'r plant a fegir ynddynt. Ond, y mae llu mawr, ysywaeth, o blant ynddynt na ddylent fod yno, pe dihunai'r enwadau crefyddol at waith ymarferol crefyddol yn ein hoes ni.

Os oedd yn barod i ffustio'r enwadau a'r arweinwyr crefyddol, yr oedd yr un mor barod i ffafrio a chanmol un ohonynt:

Diolchwn o galon i Mr R. B. Ellis am ddangos y ffordd mor dra rhagorol. Ni chyll efe fendith y sawl a'i haddawodd i'r neb a ddangosai diriondeb i'w rai bychain. Ni fetha, ychwaith, yr ydym yn gobeithio, weled mintai o bobl hael yn efelychu ei esiampl glodfawr. Dylai Cymru feddu dwsinau o 'gartrefi' ar gyfer amddifaid cyn pen deng mlynedd.

Yn yr un golofn olygyddol, ceir coffâd a theyrnged i gymwynaswr mawr arall. Gallai'r golygydd ei uniaethu ei hun â delfrydau a safbwyntiau William Rathbone. Roedd yntau'n wrthwynebydd ffyrnig i anghyfiawnder cymdeithasol, a gwnaeth lawer tuag at leddfu tlodi yn Ninas Lerpwl.

Yn sicr, yn ôl y gefnogaeth ariannol a gafodd Cartref Bontnewydd o'i ddechreuad hyd heddiw, mae enw'r Cartref yn adnabyddus i eglwysi Cymraeg Cymru, yn arbennig yr eglwysi Presbyteraidd. Mae'r enw yn adnabyddus i eglwysi Saesneg yr enwad hefyd. Ond faint ohonynt sy'n gwybod am enw Robert Bevan Ellis? Ni ddylai enwau dyngarwyr fel y fo fynd yn angof; eto, go brin y byddai ef ei hun yn poeni'r un blewyn am hynny. Iddo ef a'i debyg, dileu anghyfiawnder cymdeithasol oedd yn bwysig a rhoi parhad i grefydd ymarferol. Yn hyn o beth, cafodd Cartref Bontnewydd gefnogaeth lawn y gweisg i gyd o'r dechrau pell hwnnw ganrif yn ôl a pharhaodd y gefnogaeth hyd y dydd heddiw.

Byddai Daniel Rees, golygydd *Yr Herald Cymraeg* yn nechrau 1902, wedi hoffi'r disgrifiad a roddwyd o Gartref Bontnewydd ymhen blynyddoedd wedyn gan un arall a ymboenai am yr anghenus, sef y Parchedig Tom Nefyn Williams – disgrifiad bachog ac addas o gartref a adeiladwyd yn llythrennol ar fin y ffordd fawr: 'Cartref Bontnewydd ydi *way-side pulpit* ein henwad'.

10. O'R UN BRETHYN

Yn chwe degau'r bedwaredd ganrif ar bymtheg, roedd siop ddillad a defnyddiau o'r enw *Victoria House*, Bangor, yn fan cyfarfod i dri gŵr a fu'n gefn i'w gilydd drwy gydol eu hoes. Un ohonynt oedd y perchennog, J. Evan Roberts. Roedd ganddo fusnes llewyrchus ym Mangor Uchaf ac ymhen amser symudodd ei fusnes i 317 Stryd Fawr, Bangor. Yno i *Victoria House*, y daeth dau fachgen ifanc i fwrw eu prentisiaeth, un o Ynys Môn a'r llall o Arfon. Y Monwysyn oedd John Pritchard-Jones, a urddwyd maes o law yn Syr John Pritchard-Jones, a'r llall oedd Robert Bevan Ellis.

Yn 1859, yn bedair ar ddeg oed, gadawsai John Pritchard-Jones yr ysgol a bu'n gwasanaethu mewn siop ddillad yng Nghaernarfon ac yna ym Mhwllheli cyn mynd at J. Evan Roberts ym Mangor. Yn 1869, yn ugain oed, gadawsai Robert Bevan Ellis yntau *Victoria House* er mwyn rhoi trefn ar siop ei dad yng Nghlwt-y-Bont, sef *Helen Villa, grocer & draper*, ond aeth y llanc o Fôn ymhellach – aeth am fwy o brofiad i Lundain. Nid oedd yntau ond pedair ar bymtheg oed pan aeth i Lundain yn 1864. Nid oes sicrwydd beth oedd ei waith yn ystod yr wyth mlynedd nesaf ond ni fu'n segur oherwydd ymunodd â chwmni *Dickens, Stevens & Dickens* fel prynwr iddynt ac yntau ond yn saith ar hugain oed. Dringodd yn gyflym o safle i safle. Gwnaed ef yn oruchwyliwr, yna'n gyfarwyddwr, yn gadeirydd bwrdd y cyfarwyddwyr ac yna yn un o'r partneriaid. Bellach, roedd y cyn-brentis o Victoria House yn gyd-berchennog un o siopau enwocaf y ddinas. Aeth *Dickens, Stevens & Dickens yn Dickens & Jones, Regent Street*. Ef oedd y Jones. Roedd yn wr busnes mentrus ac arloesol a dechreuodd fusnes archebu a phrynu drwy'r post. Byddai wedi bod wrth ei fodd gyda'r e-bost a'r we heddiw.

Er cyrraedd y brig, roedd yn ymwybodol o'i wreiddiau. Ganed ef Nhyn-y-Coed, fferm fechan yn ardal Niwbwrch, yn un o dri o fechgyn. Hen lanciau oedd ei frodyr. Daeth Richard yn fasnachwr lleol ym mro ei febyd a William ymhen amser yn weinidog yno. Go brin, felly, y byddai un o hogia' Niwbwrch yn anghofio ei wlad, ei iaith a'i hen ffrindiau ar ôl iddo ddringo i binacl ei broffesiwn. Roedd ef a Robert Bevan Ellis a J. Evan Roberts, y tri ohonynt, yn ddarn o'r un brethyn mewn mwy nag un ystyr. Roeddent yn rhannu'r un delfrydau ac nid crefydd a chydwybod gymdeithasol arwynebol oedd gan y rhain – roeddent yn ddynion o argyhoeddiad cryf eithriadol.

Gellir dweud, hefyd, eu bod yn driw i'w gilydd fel y tri mysgedwr yn y nofel Ffrengig gan Alexandre Dumas, *Les Trois Mousquetias*. Byddai arwyddair y tri yn addas ar gyfer y tri masnachwr, *All for one,one for all*. O hyd ac o hyd, roedd llwybrau'r tri yn croesi ei gilydd, a'r naill yn cefnogi'r llall.

Ar Dachwedd 2, 1911, gwnaed Syr John Pritchard-Jones yn rhyddfreiniwr dinas Bangor, y trydydd i dderbyn y rhyddfraint yn hanes y ddinas. Y cyntaf oedd Syr Baden Powell yn 1903, sylfaenydd mudiad y sgowtiaid ac un o'r arwyr imperialaidd oherwydd iddo amddiffyn Mafeking rhag y Boeriaid adeg Rhyfel De Affrica. Yn rhifyn Tachwedd 11 o'r *North Wales Chronicle*, ceir adroddiad manwl iawn am y cyfarfod i anrhydeddu John Pritchard-Jones. Cynhaliwyd y seremoni yn Neuadd y Ddinas, yn siambr y cyngor, ac yn dilyn hynny gwledd dŵr-o'r-dannedd yng Ngwesty'r *British*. Cawsai siambr y cyngor ei haddurno â blodau hardd a dail bytholwyrdd o erddi Glyngarth Palace, a phriod clerc y ddinas oedd yn gyfrifol am y trefniadau. Roedd etholedig rai y ddinas i gyd yno yn cynnwys pedwar marchog a maer y ddinas, a'u gwragedd wrth gwrs, a phawb o bwys o bell ac agos – pobl fel Claude Lloyd Edwards, ysgwier Plas Nanhoron yn Llŷn, a phwysigion yr eglwys a'r byd addysg. Roedd yno rai yn cynrychioli Ysgol Friars ac, yn arbennig, Coleg y Brifysgol, oherwydd rhoddwyd iddo ryddfraint y ddinas oherwydd ei gysylltiad â Choleg y Brifysgol ym Mangor, a'i ymdrech i sicrhau addysg uwch i bobl gyffredin.

Ar achlysur pwysig arall, sef cyfarfod agor Neuadd Niwbwrch – rhodd John Pritchard-Jones i fro ei febyd – cyfeiriodd ato'i hun yn cerdded mewn cwmni o ddwsin a mwy i'r *British School* yn Nwyran, a'u cinio yn eu pocedi. Yn ei amser ef, ni chawsai'r rhan fwyaf o blant Niwbwrch fawr o addysg o gwbl. Roedd sicrhau addysg i'r cyffredin yn bwysig yn ei olwg. Sawl cenhedlaeth o fyfyrwyr a fu'n chwysu wrth sefyll arholiadau yn Neuadd John Pritchard-Jones yng Ngholeg y Brifysgol, Bangor!

Fel y gellid disgwyl gwahoddwyd i seremoni anrhydeddu John Pritchard-Jones aelodau Senedd Coleg y Brifysgol, yn cael eu harwain gan y Prifathro Syr Harry Reichel. Yn ôl yr enwau a restrir yn yr adroddiad, gellir tybio bod henaduriaid a chynghorwyr Dinas Bangor i gyd yn bresennol. Yr Henadur Syr Henry Lewis a ddewiswyd gan y cyngor i roi rhyddfraint y ddinas i'r Barwnig Cymreig o Fôn ac yn ei anerchiad cyfeiriodd at dras werinol John Pritchard-Jones a'r modd y daeth yn un o'r tywysogion masnach mwyaf adnabyddus yn ninas fwya'r byd. Cyflwynodd y maer gasged dderw anghyffredin o hardd iddo, wedi ei cherfio'n gywrain dros ben, ond pwy o blith y gwahoddedigion pwysig a ddewiswyd i wneud y cynigiad y dylid ei anrhegu â'r gasged i gofio'r achlysur? Nid y maer na 'Syr' arall ond yr un a fu'n ei ddysgu pan oedd yn hogyn ifanc sut i dorri brethyn a mesur siwt – ei hen feistr yn *Victoria House*. Mae'n wir bod J. Evan Roberts yn aelod o'r cyngor ac yn henadur ond roedd eisiau cymhwyster arall heblaw'r rhain iddo gael ei ddewis i gyflawni'r gorchwyl pwysig hwn. Y cymhwyster hwnnw oedd ei gyfeillgarwch mawr â Syr John Pritchard-Jones, cyfeillgarwch a roddai iddo'r hawl yn ei anerchiad i dynnu coes Syr John. Dywedodd nad oedd am awgrymu'n ymffrostgar mai ei brentisiaeth yn *Victoria House* oedd yn gyfrifol am ei lwyddiant syfrdanol ym myd masnach ond atgoffodd ef yn chwareus i'r llwyddiant ddod i'w ran ar ôl iddo fod yn *Victoria House*! Atgoffodd ei hen feistr y gynulleidfa fawreddog na fu i John Pritchard-Jones anghofio ei famiaith fel llawer o Gymry eraill a aethai i Loegr ac ymgyfoethogi yno. Ni fu iddo chwaith anghofio ei wreiddiau na rhai llai ffodus nag ef ei hun.

Cyfeiriodd at ei gefnogaeth a'i ddiddordeb dwfn yn y cartref plant amddifaid ger Caernarfon. Nid yn unig ymwelai â'r cartref ond roedd hefyd wedi sicrhau gyrfa i rai o fechgyn ifanc y Cartref drwy eu cyflogi yn ei siop ei hun yn Llundain ac mae cofnodion llyfr cofrestr Cartref Bontnewydd yn cadarnhau hynny. Bachgen o'r Waunfawr oedd y cyntaf i fynd i fasnachdy *Dickens & Jones* a chael gwaith yno fel 'egwyddorwas'. (Tybed ai *messenger-boy* oedd 'egwyddorwas'?) Ymhen amser, dilynwyd ef gan fachgen o Nantlle ac wedi hynny gan un arall o Gaergybi, a oedd yn fab i ddilledydd. Yr olaf y cyfeiriodd y siaradwr ato oedd bachgen o Runcorn a aeth yno hefyd fel 'egwyddorwas'.

Roedd y pedwar ohonynt wedi colli eu tad a dau yn amddifad o fam hefyd. Nid yw'r llyfr cofrestr yn cofnodi i ble'r aeth pob un o blant y cyfnod hwn ar ôl iddynt adael y Cartref. Hwyrach fod eraill o'u plith, hefyd, wedi mynd i weithio i'r siop fawr ffasiynol yn *Regent Street*. Yn Adroddiad Blynyddol 1910, o dan y pennawd 'Symudiadau'r Plant', ceir y cofnod:

> Y mae llawer o ddiolch yn ddyledus i Syr John Pritchard-Jones am agor y ffordd i un o'r bechgyn i fasnachdy *Mri Dickens & Jones*, Llundain.

Ceir sylw i'r un perwyl yn Adroddiad Blynyddol 1913. Y pennawd y tro hwn yw 'Beth fydd y bachgennyn hwn?':

> Wedi meithrin y plant am flynyddoedd yn y Cartref, daw y cwestiwn beth i'w wneud â hwy ac i ba le i'w hanfon. Dyna'n anhawster, yn enwedig gyda'r bechgyn . . . Gwasanaeth amhrisiadwy ydyw agor

drws gyrfa lwyddiannus i ambell fachgen bywiog a hywaith. Dylem gydnabod yn ddiolchgar wasanaeth caredig Syr J.Pritchard-Jones yn y cyfeiriad hwn. Y mae gennym yn awr bedwar o fechgyn yn brentisiaid ym masnachdy y *Mri Dickens & Jones*, a cheir tystiolaeth beunydd eu bod yn llwyddo'n rhagorol yno.

Ni allent gael unman gwell oherwydd roedd y perchennog o Gymro yn ofalus iawn o'i staff. Dechreuodd ryw fath o gronfa bensiwn iddynt, drwy eu cymell i fuddsoddi peth o'u cyflog yn y cwmni a derbyn 4% o logau ond roedd y cwmni hefyd yn ychwanegu 20% at y swm a fuddsoddwyd.

Os oedd yn dueddol i fod yn hunanbwysig, fel y tystiai rhai amdano, ac yn hoffi tynnu sylw ato'i hun, roedd rhyw gynhesrwydd afieithus i'w bersonoliaeth ac roedd yn feistr diwyd, anturus, yn ffyddlon i'w staff ac yn hael tuag atynt. Aeth John Pritchard-Jones ei hun i Lundain yn fachgen ifanc heb na safle na statws, ac felly gellir bod yn eitha sicr i'r hogia o Gartref Bontnewydd gael sylw arbennig gan brif gyfarwyddwr *Dickens & Jones*, a chofio hefyd ei fod yn ffrind personol i Robert Bevan Ellis. Gall fod y cyfeillgarwch hwn i'w weld yn nhebygrwydd pensaernïaeth dau adeilad. Os yw Cartref Bontnewydd yn gofgolofn i Robert Bevan Ellis, mae canolfan a Neuadd Niwbwrch, Ynys Môn, yn ogystal ag un o neuaddau Coleg y Brifysgol, Bangor, yn gofgolofnau, yn yr un modd, i John Pritchard-Jones. Mae Neuadd Niwbwrch a Chartref Bontnewydd yn rhyfeddol o debyg i'w gilydd. Anodd credu mai hap a damwain yw hynny, er nad yr un rhai oedd y penseiri na'r adeiladwyr. Y Cartref a adeiladwyd gyntaf, ac felly ai addasiad o gynllun pensaernïol y Cartref yw Neuadd Niwbwrch? Ffaith ddiddorol arall yw fod linter, pilestr a silff pob ffenest yn y naill adeilad a'r llall wedi eu gwneud o dywodfaen Rhiwabon. Gall mai enghraifft yw hyn o ddau gyfaill yn helpu ei gilydd. Nid oes unrhyw amheuaeth ynglŷn â'u cyfeillgarwch na 'chwaith ynghylch diddordeb J. Evan Roberts ynddynt, yr un a'u prentisiodd yn nechrau eu gyrfaoedd yn *Victoria House*. Cefnogodd Robert Bevan Ellis yn yr un modd ag y cefnogodd John Pritchard-Jones.

Yn rhinwedd ei swydd fel blaenor, roedd J. Evan Roberts yn aelod o Henaduriaeth Arfon ac yn aelod hefyd o'r pwyllgor a gymeradwyodd gynllun Robert Bevan Ellis i sefydlu cartref i'r amddifaid. Roedd yn un o'r saith a aeth i stad Bronant ar Dachwedd 27, 1899, i ddewis man addas i adeiladu'r cartref. Gwelir ei enw, hefyd, ymhlith y gwahoddedigion a oedd yn y seremoni agoriadol, ar Fawrth 6, 1902. Bu'n aelod o Lywodraethwyr y Cartref o 1902 hyd at 1918.

Roedd y tri ohonynt, J. Evan Roberts, John Pritchard-Jones a Robert Bevan Ellis o'r un gwead a'r un brethyn.

11. LLOFFION

Yn ei gyfrol *Cribinion*, disgrifia Ifan Gruffydd, y 'Gŵr o Baradwys', ei atgofion fel 'gwair ysgafn' ac arno 'dipyn o flas hir-hel efallai'. Wrth bori drwy hen adroddiadau blynyddol Cartref Bontnewydd, byddai rhywun yn disgwyl 'blas hir-hel' ac ogla llwydni ar y lloffion sydd ynddynt ond, i'r gwrthwyneb, mae sawl blewyn glas yng nghoflaid fechan yr adroddiadau hyn a blas mwy ar y ffeithiau a wasgwyd yn dynn ynddi.

Ychydig a feddyliodd ysgrifennydd cyntaf Bwrdd Llywodraethu'r Cartref – y Parchedig W. Jones Williams, y byddai cynnwys ei adroddiadau blynyddol yn nechrau'r ugeinfed ganrif o ddiddordeb i ni heddiw. Ceir ynddynt ambell lun sy'n gwneud i'r talcen grychu a chodi aeliau a ffeithiau fel rhestr y 'rhoddion mewn nwyddau' yn dod â gwen i'r wyneb.

Mae'r lloffion hyn yn gyfrwng i greu darlun byw o sefydliad fel Cartref Bontnewydd fel yr oedd bron i ganrif yn ôl ac yn cyfleu stamp y cyfnod a oedd ar bolisïau'r Cartref a'r modd yr oeddent yn gwarchod y plant a oedd dan eu gofal. Gwisgwyd hwy'n unffurf a'u gorymdeithio'n gatrodol i'r capel a'r ysgol ddyddiol.

Yn ddiarwybod iddo'i hun, gadawodd W. Jones Williams ddigon o loffion ar ei ôl i arall eu cribinio a'u casglu.

RHODDION MEWN NWYDDAU

Yn y cyfnod cynnar, roedd y Cartref yn dibynnu llawer ar 'roddion mewn nwyddau', ac am rai blynyddoedd roedd enwau'r cymwynaswyr a roddai'r rhoddion hyn yn ymddangos yn yr adroddiad blynyddol a chofnodwyd yn union beth oedd pob rhodd.

Parhaodd yr ewyllys da hwn drwy gydol hanes y Cartref gan y byddai eglwysi ac ysgolion ar Ŵyl Ddiolchgarwch yn dod â llysiau a ffrwythau i'r Cartref, ond nid llysiau a ffrwythau'n unig oedd y rhoddion a dderbynnid yn y blynyddoedd cynnar hyd at ddiwedd y tri degau. Yn wir, roedd amrywiaeth y rhoddion hyn yn eithriadol o ddiddorol ac maent bellach yn gofnod o ffordd o fyw y cyfnod hwnnw. Yn yr Adroddiad Blynyddol cyntaf un (1902), nodir rhai cannoedd o roddion ac yn eu plith mae:

- hanner tunnell o lo
- tepot, pram, cot a brat i fabi a chrysau nos
- brwsys dannedd a lliain bwrdd
- dros ddau gan pwys o wahanol nwyddau (ymateb i apêl 'Dydd Pwys')
- Beiblau a llyfrau emynau
- mangl a pheiriant gwnïo *Singers*
- dresel yn llawn o blatiau
- tywelion, plancedi a matiau *cocoa*
- yr wyddor Gymraeg a 6 Rhodd Mam
- set *ping-pong* a phlanhigion ffenest
- wyau a gŵydd
- pob math o gynnyrch fferm a gardd
- blawd, darn o biff a *bun-loaf*
- melysion a marmaled
- 12 o beisiau, 3 gwasgod, 12 sgarff a 12 pâr o *cuffs*, y cwbl wedi eu gweu
- iwnifform, boned a *cape* i'r metron
- fflagiau a *streamers* (Pam rhoi fflagiau a *streamers* yn anrhegion i'r plant, tybed? Efallai oherwydd bod seremoni coroni Iorwerth VII yn frenin wedi bod y flwyddyn flaenorol.)

Yn 1902, daeth Arthur Balfour yn Brif Weinidog. Tybed a fu parti yn y Cartref i ddathlu'r achlysur hwnnw? Go brin. Haws credu mai dathlu heddwch a diwedd Rhyfel y *Boer* a ddigwyddodd.

Bu i'r arferiad o roi 'rhoddion mewn nwyddau' barhau am flynyddoedd lawer ac roedd yr amrywiaeth yr un mor ddiddorol o flwyddyn i flwyddyn. Maent yn cyfleu ffordd o fyw yn y blynyddoedd hynny, o ddechrau'r ganrif hyd at yr Ail Ryfel Byd, yn arbennig arferion bwyta a steil dillad gan mai nwyddau at gynhaliaeth oedd y rhan fwyaf o'r rhoddion hyn:

- blawd ceirch a bara brith
- hetiau gwellt a pheisiau gwlanen i'r genethod a chrysau gwlanen i'r bechgyn
- dwsinau o sanau wedi eu gweu gan Gymdeithas Dorcas Talysarn
- sebon a basgedi dillad i'r tŷ golchi a darlun *Cenhadon Hedd* (1930)
- maip a moron, llefrith a reis at wneud pwdin
- rhiwbob ac eirin Mair i wneud jam a photiau pridd i'w gadw
- sosej a siwed, a thatws cynnar a ffa gan Mr R. Jones, Morfa Cwta, Llanfaglan

- organ-geg, top a *chatter-box* (Pa fath o degan oedd hwnnw, tybed?)
- celfi chwarae, ty dol, rhwydi *tennis* a pheli, gramoffon a setiau *meccano*
- dau geffyl siglo, un gan Mrs Davies, 64 Caepella, Bangor, yn 1924, a'r llall yn 1926 gan Mari a Roland, Llundain.

Deirgwaith anfonwyd blodau wedi eu sychu a'u gwasgu o 'wlad Canaan'. Anrheg anghyffredin, hwyrach, ond nid felly'r hanner dafad a hanner mochyn wedi'i halltu a'r tafod eidion gan Mr a Mrs R. B. Ellis, Bronant, a'r cwningod, a'r gwyddau (wedi'u pluo) a anfonid gan y Fonesig a Syr Thomas E. Roberts, Plasybryn!

Yn 1906, cafodd y plant anrheg gan faer Caernarfon, sef 30 o docynnau i'r Eisteddfod Genedlaethol a gynhaliwyd ym mhafiliwn enwog y dref. Testun cystadleuaeth y gadair y flwyddyn honno oedd *Y Lloer* a daeth yr awdl fuddugol yn boblogaidd iawn. Yr enillydd oedd y cyn-löwr John James Williams, gweinidog gyda'r Annibynwyr yn Nhreforus. Cyfansoddodd J. J. Williams lawer o emynau a'r mwyaf adnabyddus ohonynt, mae'n debyg, yw:

> Ynot, Arglwydd, gorfoleddwn
> Yn dy gariad llawenhawn.

Yng nghwrs y blynyddoedd, canodd llawer o blant y Cartref emyn arall o'i eiddo yn yr Ysgol Sul a'r Gymanfa Ganu:

> Chwifiwn ein baneri
> Yn yr awel iach,
> Seiniwn glod i'r Iesu
> Ar bob gwefus fach.

Tybed a oes ym meddiant rhai o ddisgynyddion y plant hynny fwg dathlu coroni Siôr V yn 1911? Rhoddwyd 37 o'r mygiau hynny a dau ddarlun o'r brenin yn anrheg i'r Cartref. Ond lawer mwy buddiol na'r lluniau o'r brenin oedd y llwythi tail a ddeuai'n flynyddol i wrteithio'r ardd. Rhoddwyr y tail oedd rhai o ffermwyr y fro, teuluoedd Cae Stanley a Phlasybryn. Deuai wyau, llefrith a llaeth enwyn, hefyd, yn rhad ac am ddim drwy'r flwyddyn o Gae Stanley a ffermydd eraill fel Glan Beuno, Bronnydd, Bodaden, Gwylfa a Dinas. Oedd, roedd y rhoddion hyn yn amrywio o bâr o esgidiau gan 'Un yn darllen *Y Goleuad*' i dop côt a deugain pwys o syrup melyn a photel ddŵr poeth.

RHODDION Y PASG A'R NADOLIG

Deuai rhai rhoddion yn rheolaidd ar adegau arbennig o'r flwyddyn fel dwsinau o *hot.cross buns* ac wyau ar y Pasg, er nad oes sicrwydd eu bod yn wyau siocled. Roedd tân-gwyllt ymhlith rhoddion mis Tachwedd ac, wrth gwrs, cafwyd rhoddion Nadolig fel y rhai a ganlyn:

- celyn ac uchelwydd ac addurniadau
- bocsys o gracyrs a chardiau Nadolig
- teganau, ac un Nadolig yn y dau ddegau cafodd yr holl blant geiniog newydd sbon danlli. (Yng ngolwg y plant, mae'n siŵr eu bod yn sgleinio fel sofrenni. Wedi'r cwbl, roedd modd cael bagiad go dda o felysion am geiniog bryd hynny.)
- yn 1925, daeth ffortiwn i'w rhan, sef chwe cheiniog wen yr un!
- hosanau Nadolig yn cynnwys mân anrhegion fel *lucky bag* ac ati
- amrywiaeth o ffrwythau fel bananas, eurafalau a chnau
- pwdinau (neu 'pwdingau' fel y cofnodir hwy)
- cacen Nadolig a mins peis
- yr ŵydd, a roddwyd fel arfer gan Mr a Mrs Thomas Owen, Yr Erw, Pontrug.

Deuai gŵydd o Plasybryn hefyd weithiau ac ambell flwyddyn o ben draw Llŷn, o Tu-hwnt-i'r Afon, Rhydyclafdy, ac o Gonwy a mannau eraill. Yn 1923, rhoddwyd y twrci cyntaf – rhodd gan Mr a Mrs Walter Lloyd, Gwylfa. Yn y rhestr rhoddion, nodir 'canhwyllau a lampau ar gyfer y goeden Nadolig'.

O 1947 hyd at Nadolig olaf y Cartref fel uned breswyl, ymwelodd un o'r hen blant â'r Cartref bob Gŵyl y Geni a gofalodd ddod â choeden Nadolig nobl gydag ef bob tro. Gwyddai trwy brofiad beth oedd treulio'r Nadolig mewn cartref i'r amddifaid, a chymaint a olygai llawenydd a lliw i blant a gleisiwyd yn gynnar mewn bywyd.

RHODDION I'R CLEIFION

Gwaetha'r modd, o bryd i'w gilydd, deuai afiechyd â rhagor o ofidiau i rai o'r plant, fel y dengys ambell rodd a sylwadau yn yr Adroddiadau Blynyddol.

Yn Adroddiad 1913, cofnodir y canlynol fel 'rhoddion i'r cleifion':

- cribau dannedd mân. Roedd llau pen yn gyffredin iawn yr adeg honno
- dau dûn o *extract of beef* a *cod liver oil*

- mafon a bananas
- siocled a bocs o felysion
- wyau a menyn
- blodau

Dro arall, rhoddwyd thermomedrau a *calvesfoot-jelly*, grawnwin a mêl iddynt. Cafodd amryw byd o'r plant driniaeth feddygol oherwydd llid ar y cilchwarennau *(tonsils)* a'r adenoidau.

Yn 1912, cyfeiriwyd at gyflwr iechyd y plant fel a ganlyn:

> Gwelir i ni dderbyn tri ar ddeg o rai ieuainc i mewn, a'r rhan fwyaf yn eiddil a gwan. Ymhlith y newydd-ddyfodiaid bychain hyn, a hwythau eto heb fanteisio ar fagwraeth y Cartref, y dechreua afiechyd fel rheol ac unwaith y delo i mewn ymled trwy'r teulu oll.

Mae'n rhaid cofio bod y 'teulu' yn un niferus. Cymaint oedd y llwyddiant a'r galw am wasanaeth Cartref Bontnewydd, roedd llawer gormod o blant yno yr un pryd, gyda'r canlyniad nad oedd modd osgoi rhoi nifer fawr o welyau yn y llofftydd. Nid oedd hynny i'w gymeradwyo, yn arbennig pan ddeuai afiechyd heintus i'w poeni ond nid oedd dewis arall. Mae'r ffaith i'r plant gael cyn lleied o afiechydon yn dweud llawer am lanweithdra, bwyd a gofal y Cartref.

Ceir y ffasiwn beth â 'rhodd gwasanaeth'. Ni fu'n rhaid i'r Cartref dalu am wasanaeth meddyg, oherwydd o'r dechrau un rhoddodd meddygon y Cartref, pob un yn ei dro, eu gwasanaeth am ddim. Dr H. Jones Roberts, Penygroes, oedd y meddyg mygedol cyntaf. Dilynwyd ef gan Dr R. Parry, Caernarfon, a rhoddodd yntau ei wasanaeth o 1905 hyd at 1926, a'i fab, Dr W. Hilton Parry wedi hynny.

Pan agorwyd y Benarth, Llanfairfechan, fel aelwyd ychwanegol, bu Dr T. Bellis yr un mor garedig yno. Un o'r afiechydon cyffredin a boenai pobl yn y cyfnod hwnnw oedd darfodedigaeth *(tuberculosis)* neu'r diciâu ar lafar gwlad. Yn Adroddiad 1913, dywedir:

> Un o elynion pennaf pob amddifaty yn y wlad ydyw'r darfodedigaeth oherwydd fe hanna amryw byd o'r plant o rieni a fuont feirw o'r cyfryw glefyd.

Roedd hyn yn wir yn hanes llawer o rieni plant y Cartref. Gan amlaf, darfodedigaeth neu niwmonia oedd achos marwolaeth naill ai'r tad neu'r fam. Hefyd, bu farw llawer ohonynt o 'glefyd y galon', rhai o'r mamau'n marw ar enedigaeth plentyn, a bu farw tri thad drwy ddamwain yn y chwarel. Hefyd yn Adroddiad 1913, dywedir:

Drwg iawn gennym ddweud ddarfod i ni fod o dan orfod i symud dwy o'n genethod ieuanc o blith y rhelyw o blant i gyrraedd triniaeth feddygol gyfaddas.

Nid dyna'r tro cyntaf i hynny ddigwydd oherwydd, yn 1908, rhoddwyd rhodd anghyffredin gan un Miss Davies, Treborth, merch Richard Davies, aelod seneddol Môn. Roedd ganddo bedwar mab a phum merch a dwy ohonynt yn ddi-briod, sef Annie Mary ac Enid Helen. Bu i'r naill neu'r llall ofalu bod Mamie Davies, un o blant y Cartref yn derbyn meddyginiaeth a gofal mewn cartref-awyr-iach ger Porthaethwy. Cyfeirir at hyn yn Adroddiad 1908: 'Derbyn un o'r genethod i'r cartref-awyr-iach ym Mhenhesgin, Porthaethwy.' Math o sanatoriwm oedd y lle hwn gan mai darfodedigaeth oedd yr afiechyd a boenai'r ferch fach a bu'r pum mis y bu yno yn llesol iddi. 'Cafodd yr eneth bob sylw a gofal tra bu yno a da gennym ddweud iddi gael adferiad rhagorol o'i hafiechyd.'

Ond nid dyna hanes pob un a fu'n dioddef o'r afiechyd hwn. Rhwng 1909 a 1939, bu farw wyth o'r plant, chwe geneth a dau fachgen.Bachgen tair ar ddeg oed, yn enedigol o *Crewe*, oedd y cyntaf i farw, sef Thomas Charles Jones, a oedd yn gwbl amddifad – buasai farw ei rieni o fewn pedwar mis i'w gilydd yn 1906. Bu farw Mai 14, 1909, a chladdwyd ef ym Mynwent Caeathro. Byddai plant y Cartref yn mynd yn aml i'r fynwent i roi blodau ar ei fedd. Bu farw dau o'r darfodedigaeth fel y digwyddodd yn hanes tad un a mam y llall. Bu farw dau arall o lid yr ymennydd. Ni ddywedir beth oedd achos marwolaeth y lleill. Roedd yr ieuengaf yn bedair oed a'r hynaf, a oedd erbyn hynny yn aelod o staff y Cartref, yn ugain oed. Bu farw dau fachgen yn y pedwar degau hefyd, y ddau'n un ar bymtheg oed.

Roedd nifer y marwolaethau'n llai na 4% o'r holl blant a fu dan ofal y Cartref. Cafodd y gweddill fwynhau iechyd gweddol dda a phan ddeuai'r amser iddynt wynebu'r byd mawr yn un ar bymtheg oed, roeddent yn

Thomas Charles Jones

gorfforol iach, beth bynnag. Eto, ceir hanes trist yn Adroddiad 1913. Aeth un ferch o'r Cartref i weini ar fferm ger Rhuthun. Ymhen dwy flynedd, a hithau erbyn hynny'n ddeunaw oed, aethpwyd â hi i ysbyty'r meddwl yn Ninbych. Nid oes cofnod o'i hanes ar ôl hynny.

SEFYLL AR EU TRAED EU HUNAIN

Mae'r wybodaeth i ble'r aeth nifer fawr o'r plant wedi iddynt fynd o'r Cartref ar gof a chadw yn llyfr log y Cartref. Cyfeirir at hynny yn yr Adroddiadau Blynyddol, gan ddymuno'n dda iddynt.

Mabwysiadwyd rhyw ychydig o'r plant ac aeth nifer o'r genethod i weini ac i nyrsio a llawer o'r bechgyn i weithio ar y tir. Aeth rhai i ddilyn cwrs ar forwriaeth mewn ysgol forwrol cyn 'gwisgo cap pig gloyw' a mynd i hwylio 'i *Birkenhead, Bordeaux* a *Wicklow'*. Eraill wedyn i gael eu prentisio mewn gwahanol grefftau a galwedigaethau. Rhoddodd nifer uchel gyfrif da ohonynt eu hunain yn yr ysgol ac ennill ysgoloriaeth i'r Ysgol Sir, a llwyddodd un i gael ysgoloriaeth i Goleg y Brifysgol, Bangor. Aeth tair o'r genethod i'r Coleg Normal ac yna'n athrawon ac ymhen amser cafodd tri o'r bechgyn alwad i'r weinidogaeth.

GALWAD ARALL

Rhwng 1914 a 1918, daeth galwad wahanol i ran deuddeg o'r bechgyn. Yn ôl yr hyn a ysgrifennwyd yn Adroddiadau'r blynyddoedd hynny, mae'n amlwg bod athroniaeth a dylanwad Lloyd George a'r Parchedig John Williams, Brynsiencyn, yn drwm ar Lywodraethwyr y Cartref. Yn Adroddiad 1914, ceir y canlynol o dan y pennawd 'Tros eu Gwlad.'

> Yn ystod y flwyddyn, fe roes tri o'r bechgyn a fagwyd gennym eu hunain i wasanaeth eu gwlad, sef IDRIS JONES, OSWALD F. WILLIAMS a HUGH R. WILLIAMS. Y mae'r olaf eisoes yn yr ysgarmes ar ororau Ffrainc a Belgium. Daw llythyrau cyson oddi wrthynt, a'r rheiny'n wir ddiddorol, i deulu'r Cartref. Pell oedd yr un ohonynt o freuddwydio y gwelid hwy byth yn gwisgo arfau – nid ar hynny y rhoesent eu bryd – ond clywsant ddelfrydau gorau bywyd yn galw arnynt fyned allan i'w hamddiffyn, ac fe ufuddhasant yn eiddgar a gwrol. Weithian, y mae i'r Cartref hwn, fel i filoedd o rai eraill yn y wlad, rai i feddwl amdanynt yn eu peryglon ac i ddeisyf amddiffyn y Nef dros eu bywyd a'u cymeriad.

Yn Adroddiad 1915, cyfeirir eto at y bechgyn, y tro hwn o dan y pennawd 'Yn y Gad'.

Ni allwn lai na llawenhau fod o leiaf ddeg o fechgyn y Cartref eisoes wedi ateb i'r alwad fawr ar ddynion ieuanc i fyned allan i ymladd dros iawnder a rhyddid. Daeth un ohonynt, Hugh R. G. Williams, adref yn glwyfedig, ond wedi saib ac adferiad aeth ef yn gystal â dau eraill o'r bechgyn yn ôl i anterth y drin. Ein hyder ydyw y bydd y profiad o ddaioni a charedigrwydd aelwyd y Cartref yn ysbrydoliaeth iddynt ymladd yn ddewr er amddiffyn cartrefi ein gwlad a'u dwyn i deimlo fod yna gryn lawer ym mywyd gwladol a chrefyddol ein teyrnas sydd yn werth ymladd drosto. Duw a'u diffyno ac a roddo iddynt gael dychwelyd o bob ysgarmes yn iach a dianaf.

Yn Adroddiad 1917, cafwyd newydd trist am un o'r bechgyn:

Meddyliem yn sicr gael ysgrifennu fod y deuddeg o fechgyn y Cartref sydd yn y llynges neu'r fyddin yn fyw ac yn ddianaf ond dyma'r newydd heddiw golli o Goronwy Roberts yn yr ysgarmes a fu ychydig ddyddiau yn ôl. Fe'i clwyfwyd wrth ei waith gyda'r teligraff ac fe'i dygwyd i ysbyty yn Ffrainc, lle y bu farw. Ni fagwyd yn y Cartref ragorach bachgen na Goronwy, na'r un oedd yn anwylach gennym, a hawdd ydyw i ni fedru cydofidio â'r brodyr a'r chwiorydd yn eu siom a'u galar.

Roedd yn un o chwech o blant ac ef yn unig a ddaeth i'r Cartref yn 1908 ar farwolaeth y tad o glefyd siwgr. Athro cynorthwyol oedd ei dad a thrigai'r teulu yng nghylch Pontrobert. Ymadawodd â'r Cartref yng Ngorffennaf 1912 ac aeth i weithio fel clerc mewn swyddfa yn y Trallwng.

Yng nghyfrol Richard Thomas, *Cartre'r Plant*, ceir hanes dau arall a gollodd eu bywydau yn yr Ail Ryfel Byd, sef:

George Merton, a gollodd ei fywyd ar un o ddyddiau cyntaf y rhyfel. Roedd yn forwr ar long a suddwyd, a boddodd yntau.

Caradog Arfon Thomas. Tra oedd yn fyfyriwr ym Mhrifysgol Lerpwl, roedd yn un o'r gwylwyr nos ar adeiladau'r coleg. Disgynnodd un o ergydion yr Almaen ar y ddinas a lladdwyd ef – a hynny ychydig ddyddiau cyn iddo sefyll ei arholiad terfynol am radd mewn gwyddoniaeth.

DIOLCH AM *GYMRU'R PLANT*!

Nid yn unig y mae'r hyn a geir yn yr Adroddiadau Blynyddol hyn yn rhoi syniad clir o agwedd arweinwyr y Cartref tuag at ryfel ond mae'r cyhoeddiadau a dderbyniai'r Cartref, yn wythnosolion, cylchgronau a

Y Parchedig Robert Ellis

Y Parchedig W. J. Williams,
yr Ysgrifennydd cyntaf

Mr. Robert Bevan Ellis

Mrs. M. Ellis

Neuadd Niwbwrch

Cartref Bontnewydd, yr ail dŷ

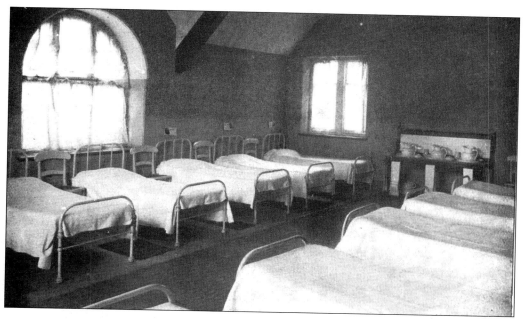

Un o lofftydd tŷ'r genod, 1909

Cael trefn cyn gorymdeithio i'r capel, 1911

Chwarae yn yr iard a'r rheiliau'n gwahanu'r ddau ryw! 1922

Y teulu cyntaf, 1902.
Y genod yn gwisgo pinafforau llewys bach, yr hogiau efo trowsusau
dwyn 'falau a'r staff yn eu gwisg swyddogol.

Teulu'r Cartref, 1904 (coleri *sailor suits*)

Plant a wobrwywyd am gysondeb yn yr ysgol ddyddiol, 1910 (coleri *Eton*)

Plant y Cartref, Rhagfyr 1910
Sylwer ar rai o'r bechgyn gyda'u hofferynnau cerdd.

Y siwmperi gwlân, 1927

Y genethod yn gwisgo pinafforau – yn eu libart chwarae, 1908

Y bechgyn yn yr ardd, 1909

Bore Sadwrn – llnau'r iard, 1911

Diwrnod golchi, 1911

llyfrau, hefyd yn adrodd cyfrolau am deithi meddwl Anghydffurfiaeth hyd at ddechrau yr Ail Ryfel Byd.

- Yn 1905, rhoddwyd dau ddwsin o'r *Arholydd Dirwestol* a'r un nifer o *Llyfrau Hymnau y Diwygiad* yn rhodd i'r plant.
- Ai allan o'r ddau Feibl mawr, rhodd Miss Wheldon, y dysgai'r plant adnodau i'w dweud yn oedfa'r prynhawn yng Nghapel Siloam, Y Bontnewydd?
- Faint o ddefnydd a wnaed tybed o'r *Intermediate Studies of Tonic Solffa* a'r map o faes cenhadol Bryniau Khasia?
- Ddaru rhywrai o'r plant yn 1909 ddarllen *The Life of Mary Slessor, Robert Hardy's Seven Days, The Life of Queen Victoria, Life and Letters of Henry Rees* ac *Odlau Eifion*?
- Mae'n siŵr bod cyfrolau o *Chums* a'r London *Illustrated News* yn fwy diddorol i blant eu byseddu ac edrych ar y lluniau a oedd ynddynt na'r *Goleuad* wythnosol neu'r *Gymraes* a'r *Lladmerydd* misol a ddeuai i'r Cartref.
- Deuai hefyd yn rheolaidd gopïau o'r *Sunday Magazine, Sunday at Home* a'r *Children's Treasury*, a diolch byth, bu i rywrai ofalu bod *Trysorfa'r Plant* a *Cymru'r Plant* ymhlith y cylchgronau.

Yr un math o batrwm a diwyg oedd i dudalennau blaen Adroddiadau Blynyddol y dau ddegau ag oedd i *Cymru'r Plant* a *Trysorfa'r Plant* a'r lluniau ynddynt wedi eu hysgythru neu'n ddarluniau pren. Nodwedd gyffelyb arall oedd llun plentyn yn cydio mewn priflythyren neu'n pwyntio ati, neu addurno'r priflythrennau â blodau. Arferiad arall oedd llenwi bwlch hanner isaf tudalen hefo llun plant. Mae'r lluniau hyn bellach yn gofnod o ffasiwn dillad y cyfnod hwnnw.

Ceir yng nghynllun a symbolaeth cloriau'r Adrodddiadau y sentiment hwnnw a oedd mor nodweddiadol o chwarter cyntaf yr ugeinfed ganrif. Portreada'r darluniau blant a oedd angen gofal rhyw angel gwarcheidiol. Yn 1923, Moss Williams, Caernarfon, oedd yr arlunydd. Gwelir ei waith yng nghyfrol Meuryn, *Y Barcud Olaf a Straeon Eraill*, Hugh Evans, Lerpwl, 1944. Disgrifiwyd ef fel 'artist y nos' gan fod llawer o'i ddarluniau'n portreadu'r Fenai yn hwyr y dydd ond arlunydd y wawr ydoedd pan ddyluniodd gloriau Adroddiadau'r Cartref.

Llwyddodd yn ei luniau o'r plant i gyfleu rhyw ddiniweidrwydd glân, sy'n creu'r un ethos ag oedd yn storïau'r cyfnod hwnnw, megis *Teulu Bach Nantoer (1913)* gan Elizabeth Mary Jones (Moelona). Roedd hyn yn dwysbigo'r galon ac yn peri i'r rhai a dderbyniai'r Adroddiadau fyned yn isel i'r boced. Yn wir, roedd i lawer o blant y Cartref gefndir ac amgylchiadau *Teulu Bach Nantoer*.

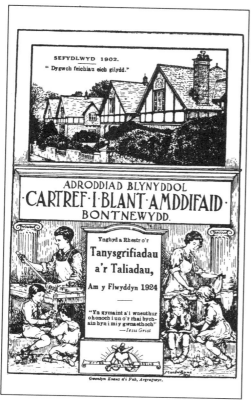

DIWRNOD I'R BRENIN

Dengys yr Adroddiadau bod plant y Cartref yn awr ac yn y man yn cael diwrnod i'r brenin a hynny weithiau yn enw'r Brenin Mawr ei hun. Yn Adroddiad 1926, ceir hanes cryno am y plant i gyd, chwe deg ohonynt, yn treulio diwrnod ar ei hyd gydag aelodau un o eglwysi Ynys Môn:

Gwnaeth eglwys Hebron, Bryngwran, Môn, dro caredig wrth wahodd yr holl deulu yno am ddiwrnod yn yr haf, ac ni fu dim, meddent hwy, a ddeffrodd gymaint ar feddwl a chalon yr eglwys ag a wnaeth yr ymweliad hwn. Yr oedd yno ddigon o ymborth a chysuron wedi dylifo o bob cyfeiriad i wneud am ddiwrnod arall. Anodd oedd gwybod pwy oedd fwyaf llawen, ai'r plant yn mwynhau'r caredigrwydd, ai ynteu'r gwahoddwyr hynaws yn estyn iddynt eu digon. Nid anghofir mo'r diwrnod hwnnw gan deuluoedd Hebron na chan deulu'r Cartref.

Ar hyd y blynyddoedd hyd at ddechrau'r wyth degau, gwahoddodd sawl eglwys deulu'r Cartref atynt am y diwrnod. Cof da mynd i Landudno a Chaer fwy nag unwaith a mawr oedd croeso'r eglwysi hynny a'r difyrrwch a baratowyd ar ein cyfer.

Gan fod y plant yn cael eu gor-warchod a'u hynysu o fewn tiriogaeth y Cartref, roeddent yn falch o gael unrhyw gyfle i grwydro yma ac acw. Yn awr ac yn y man, byddai caredigion yn gwahodd y plant i wahanol weithgareddau a gynhelid yng Nghaernarfon a mannau eraill; roeddent yn cael eu traed yn rhydd ac roedd hynny'n therapi gwerth chweil iddynt. Mewn un Adroddiad Blynyddol, yn rhestr y rhoddion, ceir tocynnau i fynd i *Fancy Fair* yn y pafiliwn yng Nghaernarfon. Mae'n siŵr bod hynny wedi plesio gan fod pob math o ddifyrrwch yn y ffeiriau hyn, fel ceffylau bach y *Merry-go-round* ac ati. Yn ôl Adroddiad Blynyddol arall, dywedir i'r plant gael cyfle i weld 'lluniau byw' yn festri Capel Engedi a hefyd yn y Guildhall, Caernarfon – lluniau Charlie Chaplin a'i debyg yn mynd trwy eu hantics. O 1934 ymlaen, cyfeirir at rai'n trefnu 'trêt i'r Plaza, Penygroes'. Weithiau, rhoddwyd rhodd o docynnau i gyngherddau ac yn 1930 aeth y plant hynaf i weld drama'n cael ei pherfformio gan gwmni Urdd Gobaith Cymru.

Cafwyd sawl trip wedi ei drefnu gan unigolion yn ogystal ag eglwysi. Ar ddiwrnod braf yn yr haf, câi'r plant fynd i lan-môr Dinas Dinlle. Byddai cyfeillion lleol yn gofalu am lori i gludo'r plant a'r hamperi gwellt a oedd yn dal llestri a bwyd am y diwrnod. Eisteddai pawb ar seddau pren yng nghefn y lori ac wedi cyrraedd defnyddid y lori i wahanu'r genod oddi wrth yr hogia pan fyddent yn newid i'w dillad ymdrochi. Yn ôl y sôn, byddai'r metron ac un o'r staff yn gofalu nad oedd yr hogia'n mynd ar eu cwrcwd o dan y lori i sbecian!

Yn Adroddiad 1911, dywedir:

Rhoddes Mrs Stewart Barnard, Castell Bryn Bras, y *Bungalow* yn Ninas Dinlle at wasanaeth y Cartref am ysbaid pum wythnos yr haf diweddaf. Bu'r pum wythnos hyn yn iechyd ac atgyfnerthiad mawr i'r plant, ac y mae ein dyled yn fawr iddi am ei haelfrydedd. Tra'n aros yn Ninas Dinlle, talwyd ymweliad â Glynllifon ar wahoddiad yr Anrhyd. F. G. Wynn, a chawsant groesaw siriol yno. Gwahoddwyd hwy i wledd hefyd gan gyfeillion Capel Bwlan, a chawsant garedigrwydd mawr gan gyfeillion Capel Coch, Llanberis, yn ystod eu hymweliad yno. Bu i Mr Ranleigh Jones, Caernarfon (deintydd y Cartref), roddi at wasanaeth y teulu lawnt ei dŷ ddydd Arwisgiad Tywysog Cymru, a gofalodd yn garedig iawn na byddent yno ar eu cythlwng.

Mewn ysgrif yn cynnwys atgofion a gofnodwyd yn wreiddiol yn llafar ar dâp gan Archifdy Gwynedd, Caernarfon, dywed Helen Royle Lloyd Edwards, wrth sôn am ei phlentyndod yn ardal y Bontnewydd, ei bod yn cofio plant y Cartref yn cerdded i draeth y Foryd ac yn treulio rhan helaeth o'r diwrnod yno:

> Os byddent yn mynd i'r traeth, roedden nhw'n mynd fel carafán o lwyth Nomadig, efo tegelli a phob dim i wneud te ar draeth y Foryd.

Heb amheuaeth, roedd cael crwydro fel hyn ymhell ac agos yn llesol i'r plant mewn mwy nag un ystyr. Yn ystod cyfnod y Parchedig Emrys Thomas a'i briod yn wardeniaid, prynwyd bws mini ac nid oedd ball ar y crwydro wedyn, fel y croniclir ganddo ym mhennod ei atgofion.

DISGYBLAETH A DILLAD

Gofal dros y plant oedd y prif reswm, mae'n debyg, am drefn a disgyblaeth yn y Cartref. Adlewyrchir hyn yn rhai o sylwadau Adroddiad 1911:

> Y mae'r teulu yn llawn bywyd a gwaith. Ymrydd y plant yn egnïol i ddysgu eu gwersi ac fel y tyfant i fyny torrir allan iddynt, yn ychwanegol at y gwersi, eu rhan o'r gwaith tuag at gadw'r lle yn lân a destlus. Dysgir y genethod i gymryd eu rhan yn holl waith y tŷ. Credir llawer mewn *ymborth iachus a phlaen, glanweithdra, awyr bur, a gwaith*, ac mae'r credu hwn o'i arfer yn dwyn ei ganlyniadau bendithiol mewn iechyd, cysur, a sirioldeb.

Yn ôl tystiolaeth y rhan fwyaf o'r hen blant, nid oedd y cyfrifoldebau a roddid arnynt yn boendod ond roedd dilyn yr un drefn ddydd ar ôl dydd, meddent, yn medru creu diflastod weithiau. Ond mewn cartref preswyl, lle trigai dros hanner cant o blant, nid modd osgoi hynny. Dywedir gan rai sy'n cofio cyfnod y tri degau bod delwedd plant amddifaid arnynt oherwydd eu bod yn gwisgo iwnifform arbennig. Ond, yn ôl Richard Thomas yn ei gyfrol *Cartre'r Plant* (1949), nid yw hynny'n wir:

> Ni wisgir *uniform* gan y plant rhag bod lliw sefydliad arno. Â'r rhan fwyaf o'r plant i'r ysgol yn y Bontnewydd, a chymerant eu lle gyda phlant eraill yr ardal.

Yr hyn sy'n wir, mae'n debyg, yw eu bod yn gwisgo dillad unffurf a chadarnheir hynny gan Helen Royle Lloyd Edwards:

> Roeddent i gyd yn cael eu gwisgo 'run fath. Ffrogiau 'run fath yn yr

haf a sgertiau neu beth bynnag oedden nhw yn y gaeaf, bob dim 'run fath.

Ond fe ddengys lluniau o'r plant nad oeddent yn cael eu gwisgo'n wahanol i blant eraill y cyfnod hwnnw. Mae'n rhaid cofio bod dros hanner cant o blant yn byw yn y Cartref ac yn mynd gyda'i gilydd yn un twr i'r ysgol ac yn gorymdeithio i'r capel; felly, roedd unffurfiaeth eu dillad yn sicr o dynnu sylw'r llygad. Yr un pryd, gellir dweud gyda sicrwydd na wisgwyd y plant erioed ag iwnifform arbennig.

Yn 1975, wrth chwilota a chlirio ystafelloedd to y Cartref, mewn un atig deuthum o hyd i nifer o esgidiau uchel yn cyrraedd at y pen-glin – y math sy'n cael eu cau â bachau bychain, ac mae llun o'r plant yn Adroddiad 1906 yn dangos un o'r merched yn gwisgo esgidiau felly.

Yn yr un atig, roedd dwsinau lawer o ffedogau bras wedi eu lapio'n fwndeli taclus. Mae'n rhaid eu bod yno ers blynyddoedd lawer gan eu bod wedi breuo ac yn rhwygo'n hawdd wrth eu cyffwrdd.

Yn Adroddiad 1913, mae llun rhai o'r genethod yn gwisgo ffedogau bras tra'n golchi a manglo dillad.

Ceir nifer dda o luniau yn yr Adroddiadau Blynyddol sy'n profi nad oedd y plant yn cael eu gwisgo'n wahanol i blant eraill y cyfnodau dan sylw. Byddai'r bechgyn yn gwisgo:

- siwmperi gwlân a choleri iddynt, a thei o'r un brethyn a'i waelod yn syth heb fod yn bigfain. Yn y tri degau, tynnwyd llun o'm brodyr a minnau yn gwisgo siwmperi cyffelyb.
- mae sawl llun o'r bechgyn yn gwisgo coleri Eton – rhai caled anghyfforddus i'w gwisgo gan eu bod wedi'u startsio. Ar y Sul, mae'n debyg, y gwisgid y goler Eton a dici-bo bach, a'r bechgyn ieuengaf yn gwisgo dillad siwt morwr – siwt ac iddi goler fawr dros yr ysgwydd, yn hirsgwar yn y cefn ac yn dod yn big yn y ffrynt.
- fel arfer, sana gwlân hirion a throwsus bach pen-glin oedd gan y bechgyn ond mae llun ohonynt yn gwisgo trowsus dwyn 'falau.

Fel y bechgyn, roedd y genethod hefyd yn dilyn y ffasiwn a cheir lluniau ohonynt yn gwisgo:

- ffrog a choler fawr iddi (coler *cape*)
- *pinafore* llewys bach dros ffrog er mwyn cadw honno'n lan. (Cofnodir mewn un Adroddiad i geidiaid – *girl-guides* – Abergele roi nifer o binafforau a pheisiau gwlanen yn anrheg i'r Cartref)
- ffrogiau llaes a chrychwaith arnynt

- tiwnig ysgol (*gymslip*) o'r dau ddegau ymlaen
- hetiau gwellt i'w gwisgo ar y Sul (a'r bechgyn yn gwisgo capiau brethyn ddydd gŵyl a gwaith).

Ar hyd y blynyddoedd, derbyniwyd beth wmbredd o ddillad ac esgidiau, weithiau rhai yn ail-law ond mewn cyflwr da. Felly, nid oeddent yn gwisgo'n wahanol i blant eraill. Amddifadrwydd ac nid eu dillad oedd yn eu gwneud yn wahanol. I raddau, roedd yr amddifadrwydd hwn yn penderfynu natur trefn a disgyblaeth y Cartref.

Ar wahân i'r ysgol ddyddiol a gweithgareddau'r capel, cedwid y plant o fewn terfynau'r Cartref a chyfyngwyd llawer ar eu rhyddid i gymysgu efo plant yr ardal. Cyfeirir at hyn yn 'atgofion' Helen Royle Lloyd Edwards. Daethai un o'r genethod a hithau yn dipyn o ffrindiau. Roedd Helen yn byw o fewn tafliad carreg i'r Cartref a'r ddwy yn ddisgyblion yn yr un dosbarth yn yr ysgol. Un diwrnod aeth â'i ffrind i'w chartref i gael te:

> . . . y diwrnod wedyn, dyma hi'n dweud wrtha i: 'Cha i ddim bod yn ffrindia efo chi eto, rhaid i mi aros efo plant y Cartra. Dw i ddim i fod i 'neud efo plant eraill'. Ydach chi'n gweld. roeddan nhw'n cael eu 'regimentio'; roedd yn rhaid iddyn nhw fod.

I raddau, roedd hynny'n wir ac elfen o or-warchod y plant oedd yn gyfrifol am hynny a dyna'r rheswm, mae'n debyg, pam y cadwyd y bechgyn a'r genethod ar wahân cymaint ag oedd yn bosibl yn eu ffordd o fyw. Bu i adeiladu'r ail dŷ yn 1908 hwyluso'r drefn hon a bedyddiwyd ef yn Dŷ'r Bechgyn, a bellach nid oedd wiw i'r bechgyn gamu dros drothwy'r tŷ arall. 'Hyd yma yr elych . . .' oedd y rheol o hynny ymlaen. Gwelir oddi wrth hen luniau bod gan y merched a'r bechgyn eu libart eu hunain i hamddena ac i chwarae ac roedd yr iard gefn wedi'i rhannu'n ddwy gan reiliau haearn er mwyn cadw'r naill ryw oddi wrth y llall! Roedd yr un peth yn digwydd wrth gyflawni gorchwylion beunyddiol. Os mai'r ardd oedd comin y bechgyn hynaf, y golchdy oedd cynefin y genethod, ac roedd eisiau bôn braich i droi'r doli i olchi'r dillad yn y twb fel yr oedd i droi'r pridd wrth drin yr ardd. O gofio bod cymaint o blant dan ofal y Cartref, mae'n debyg bod yn rhaid wrth eu cymorth gyda rhai gorchwylion, a hynny'n gyfrwng i gadw trefn ac i ymarfer disgyblaeth.

Mae'n rhaid cofio mai oes y mangl oedd hi ac nid y *spin-dryer* ac wedi'r cwbl roedd yn arferiad i blant y cyfnod hwnnw helpu eu rhieni o gwmpas y tŷ. Felly, nid oedd plant y Cartref yn cael cam mwy na phlant eraill. Sawl plentyn o ardal chwarelyddol neu o un o gymoedd y de a fu'n rhoi'r mangl ar waith? Yn yr un modd, roedd plant y tyddynnod a'r ffermydd yn eu tro yn chwysu adeg corddi wrth droi handlen y fuddai.

Yn 1901, bu i un o'r enw William Jones, brodor o Fryngwran, Ynys Môn, a ddaeth yn adeiladydd llwyddiannus yn Lerpwl, roi ei gist a'i arfau saer yn anrheg i fechgyn y Cartref. Yn Adroddiad 1913, mae llun ohonynt yn brysur wrth fainc y saer ond mae rhywbeth yn osgo'r plant yn awgrymu mai llun propaganda ydi hwn. Prun bynnag am hynny, nid felly'r hysbysiad a ymddangosai'n ddi-feth yn yr Adroddiadau. Roedd y gwahoddiad yn un cwbl gywir a diffuant:

Bydd y Cartref yn agored i ymwelwyr a pherthnasau bob prydnawn Iau, Gwener, a Sadwrn o ddau hyd bump o'r gloch.

Hollol wahanol oedd yr hysbysiad ar y clawr cefn; amrywiai o flwyddyn i flwyddyn. Yn 1902, gwelwyd:

Y PORTH AUR:
W. GWENLYN EVANS A'I FAB, ARGRAFFWYR,
CAERNARVON.
(Argraffydd *Y Genhinen* am flynyddoedd)

Yn 1920, ceir:

SWYDDFA'R GOLEUAD,
CAERNARFON

ac aethai'r 'V' yn enw'r dre yn 'F'!

Yna, yn 1921:

D. W. DAVIES, BONT BRIDD, CAERNARFON.

Buasai yntau'n argraffydd a chyhoeddwr a llyfrwerthwr yn y dref am flynyddoedd.

Erbyn hyn, aeth Swyddfa'r *Goleuad* yn Wasg Pantycelyn a hwy sy'n argraffu'r Adroddiadau ers blynyddoedd.

Pe bai'r hen Adroddiadau hyn wedi mynd i ddifancoll, byddai'r stori am Gartref Bontnewydd yn foelach ac yn dlotach. Bu i rywun, drwy eu casglu a'u rhoi dan ofal Llyfrgell y Brifysgol, Bangor, gyfrannu'n fawr iawn at hanes Cartref Bontnewydd.

12. 'ROEDDEM NI YNO'

Ni ellir gweld llun yn iawn os yw rhywun â'i drwyn yn agos ato. Mae'n rhaid camu'n ôl os am werthfawrogi harmoni lliwiau Monet yn ymdoddi i'w gilydd neu ryfeddu at aruthredd creigiau Eryri ar gynfasau Kyffin Williams. Yn yr un modd, gellir camddehongli digwyddiadau drwy fod yn rhy agos atyn nhw. Weithiau, mae'n rhaid wrth bellter amser i weld a deall sefyllfa yn glir ond drwy fod yn rhan o'r sefyllfa honno ac yn ei chanol hi mae'n bosib bod yn ddall i'w harwyddocâd.

Go brin fod plant y Cartref yn gwybod un dim am y gyllideb a oedd yn rheoli a phenderfynu pa fodd i ariannu'r sefydliad o fis i fis. Nid oedd modd iddynt wybod 'chwaith am y gwahanol gyfyngiadau a oedd yn creu rhwystredigaethau i'r rhai a oedd yn gyfrifol am redeg y Cartref o ddydd i ddydd. Gellir dadlau bod yn rhaid edrych yn ôl yn wrthrychol ar hanes os am ddadansoddi'r hanes hwnnw'n iawn. Ond ni all neb sy'n 'edrych o bell' amgyffred y trawma o golli tad neu fam – ac, mewn rhai achosion, colli'r ddau – os nad ydyn nhw wedi cael y profiad eu hunain. A phan fo hynny'n digwydd i blant a'u gadael yn gwbl ddi-gefn, dim ond y plant hynny eu hunain a ŵyr am ddyfnder yr ing, yr hiraeth, y gwacter, y gofid a'r tristwch. Mae'r un peth yn wir pan fo aelwyd yn cael ei chwalu a theulu'n cael ei rwygo oherwydd achosion eraill. Mae'n rhaid profi'r ysgytwad os am ei ddeall a'i amgyffred yn llawn. Felly, ni fydd hanes Cartref Bontnewydd yn gyflawn ac yn deg os na roddir clust i leisiau'r plant a fu yng ngofal y Cartref. Bellach, mae modd iddynt hwythau, hefyd, gamu'n ôl i edrych ar y darlun ond go brin eu bod wedi anghofio'r gwewyr o fod yn amddifad.

Llwyddwyd i gael ymateb nifer a fu yng ngofal y Cartref ar wahanol gyfnodau, gan gynnwys y cyntaf un a gamodd dros y trothwy. Gwahoddwyd hwy oll i fynegi eu teimladau'n gwbl agored, heb ymatal dim na mygu unrhyw feirniadaeth – 'y plorod a'r cwbl', fel y dywedodd Oliver Cromwell! Os am bortread cyflawn a chywir, mae'n rhaid wrth ddarlun yn ei lawn liwiau. Gall pob un a gyfrannodd i'r adran hon ddweud: 'Roeddem ni yno'. Nodir y cyfnod y bu pob un yn byw yn y Cartref.

'COBLYN O HEN LE MAWR'
William Williams (1902-1911)

Ar achlysur dathlu tri chwarter canrif Cartref Bontnewydd, deallais fod y plentyn cyntaf a groesawyd i'r Cartref yn Ysbyty Bryn Seiont, Caernarfon, sef William Williams. Gelwais heibio i'w weld. Doedd ganddo ddim syniad pwy oeddwn na beth oedd fy nghysylltiad â'r Cartref. Cyfeiriais yn gynnil at y Cartref gan ofyn ai ef oedd y plentyn cyntaf a dderbyniwyd yno. 'Ia,' meddai, 'John, fy mrawd, a minna.' Eglurodd fod ei frawd bron yn seithmlwydd oed ac yntau flwyddyn yn iau. Roedd ei fam yn wraig weddw a bu hithau farw ymhen blwyddyn a hanner wedi iddynt golli eu tad. Gofynnais iddo sut le oedd yno ac atebodd yn blwmp ac yn blaen, 'Coblyn o hen le mawr, digon i'ch dychryn chi'.

I ddau frawd a adawyd yn gwbl amddifad, a hynny mor ifanc, mae'n siŵr bod yr adeilad yn goblyn o le mawr ac yn ddigon i'w dychryn nhw. Mae'n rhaid cofio, hefyd, mai dim ond ef a'i frawd oedd yn byw yno am y tri mis cyntaf. Gyda'm tafod yn fy moch, dywedais wrtho beth oedd fy nghysylltiad â'r Cartref a brysiodd yr hen frawd i ganu clodydd y lle a chael pwl o chwerthin bob yn hyn a hyn, yn arbennig wrth gyfeirio at y gwyliau a gafodd ef a'i frawd yn Awst 1904. Roedd ei lygaid yn llawn direidi wrth egluro mai yn Ysbyty'r *Cottage*, Caernarfon, y treuliodd y ddau y gwyliau, yn wael hefo *scarlet fever*! Cafodd Ysbyty'r *Cottage* ei ddymchwel yng ngwanwyn 2001.

Ganed William Williams yn 1897; felly, roedd yn bedwar ugain mlwydd oed pan ymwelais ag ef ond er ei fod ymhell dros oed yr addewid, roedd y pyliau chwerthin yn dangos ei natur chwareus. Roedd yn barod iawn i arddel y Cartref ac yn ymfalchïo mai ef a'i frawd oedd y rhai cyntaf i fynd yno ar Fawrth 26, 1902. Ym mis Mai, 1909, gadawodd ei frawd y Cartref a mynd i weithio i ardal y Nantglyn, Sir Ddinbych. Ymhen dwy flynedd union wedyn i'r mis, aeth yntau i weithio i'r un ardal ond nid at yr un bobl. Go brin fod ei gartref newydd 'yn goblyn o hen le mawr', ac erbyn hynny nid oedd un a brofodd droeon yr yrfa yn ifanc yn ei fywyd mor hawdd â hynny i'w ddychryn.

'MAE GEN I DDYLED FAWR I'R CARTREF'
Owen Richard Williams (1914-1917)

Roedd Owen Richard Williams bob amser yn barod i gydnabod ei ddyled i'r Cartref. Fel Robert Bevan Ellis, roedd yntau hefyd yn un o hogiau ardal mynydd yr Elidir. Bu farw ei dad ac Owen Richard ond yn chwe mis oed. Treuliodd nifer dda o flynyddoedd yn y Cartref cyn dychwelyd i'w fro enedigol i weithio fel 'hogyn rybela', fel y byddai chwarelwyr Arfon yn arfer cyfeirio at y chwarelwr ieuengaf pan ddechreuai weithio. Cofnodir hanes y cyfnod diddorol hwnnw ganddo yn y bennod ar 'Y Chwarelwr' yn y gyfrol *Harlech Studies* (cyfrol yn ymwneud â Choleg Harlech, a gyhoeddwyd gan Wasg Prifysgol Cymru yn 1938 ac a olygwyd gan Syr Ben Bowen Thomas). Roedd O. R. Williams yn enghraifft dda o'r chwarelwr diwylliedig fel y dengys y bennod o'i eiddo yn *Harlech Studies*.

Un o weithgareddau dathlu tri chwarter canrif sefydlu'r Cartref ym Mai 1977 oedd darlledu 'Oedfa'r Bore' ar Radio Cymru, ac yn y gwasanaeth hwnnw roedd O. R. Williams yn sôn am ei fagwraeth yn y Cartref fel a ganlyn:

Rhyw 'chydig cyn dechra'r Rhyfel Byd Cynta' oedd hi a minna'n hen hogyn bach yn mynd am dro i'r wlad efo mam a nain mewn cerbyd agored. Cerbyd agored, wrth gwrs, am ei bod hi'n ddiwrnod poeth braf. Ar y daith, roedd mam a nain yn siarad am ryw *mei lord*. Doeddwn i'n dallt dim mai fi oedd y *mei lord*. Ymhen ychydig, dyma gyrraedd Bontnewydd ac aros wrth ymyl rhyw giât o flaen tŷ mawr ar ei dir ei hun – tŷ crand ofnadwy i mi. Dyma fynd i lawr ein tri o'r cerbyd a mynd at y drws – wyddwn i ddim am y lle. Canodd mam neu nain y gloch wrth y drws. Agorwyd y drws gan wraig fer, reit debyg i nain, a'n croesawu i mewn.

Ar ôl i ni gael te gyda'n gilydd, perswadiwyd fi gan rywun i fynd i chwarae gyda thwr o hogia' tua'r iard yng nghefn y tŷ. Toc, daeth diwedd ar y chwarae drwy i rywun fy ngalw'n ôl i mewn i'r tŷ, a minnau'n mynd yn nerfus gan ddisgwyl gweld mam a nain yno ond, y sobrwydd, doedd 'na neb yno ond plant a phobl ddiarth, a sylweddolais fod rhywbeth mawr wedi digwydd. Nain ddim yno! Rhwygodd yr argae a minnau'n crio a thorri 'nghalon isio mam a nain ond, dyna fo, doedd gen i fawr o ddewis bellach, ac mi es am fwyd gyda'r plant eraill.

'Ydach chi'n cofio ddaru chi gysgu'n dawel y noson gynta honno?'

Ydw, dw i'n cofio'n iawn mynd am y gwely yng nghanol miri a mwstwr, a minnau'n ddigon swil, yn ôl yr hyn a ddeallais wedyn. Rhyfeddod i mi oedd gweld ystafell â *bath* ynddi. Yr unig *fath* cyfarwydd i mi oedd hwnnw yn yr institiwt ac un arall dros bont yr Abar yn y dre [pwll nofio cyhoeddus]. Doedd dim i'w 'neud ond gwylio symudiadau'r plant a'u dynwared nhw, yna cael fy arwain i'r llofft. Roedd 'na bedwar gwely sengl ynddi a chist bren helaeth wrth drŏed pob gwely. Yn hon yr oeddwn i gadw fy nillad. Wrth dynnu amdanaf, sylwais ar fachgen y gwely agosa' i mi, ei fod yn gosod ei ddillad wedi eu plygu'n ofalus efo'i slipars ar gaead y gist, ac yna'n penlinio wrth erchwyn y gwely ac yn adrodd ei bader. Wyddwn i fawr am orchwyl plygu'r dillad, dim ond am ddeud fy mhader a rhoi coban amdanaf. Yr adeg honno, doedd 'na ddim sôn am byjamas. Oherwydd y dieithrwch a'r hiraeth, methais gysgu'n syth. Yna'n sydyn, galwodd rhywun arna i. Yr argian fawr, er mawr syndod i mi, roedd hi'n amser codi. Wedi dilyn yr hogia i'r ystafell ymolchi, i lawr â mi wedyn yng nghwmni un ohonyn nhw, sef Joe, a ddaeth yn ffrind mawr i mi, a chael fy hun yn yr ystafell lle cefais swper ynddi y noson cynt. Roedd yno fyrddiad hir o hogia'n eistedd, a'r ddynes fechan a oedd yn debyg i nain yn sefyll wrth y bwrdd ac yn arwain yr hogia' i lafar-ddeud gras bwyd. Dw i'n ei gofio fo byth wyddoch chi: 'Bendithia Di ein bwrdd yn awr'. Roedd pawb yn cael llond swplat o uwd, a digon o fara menyn a mygiad mawr o goco, a geneth o forwyn yn helpu gyda'r gwaith o ddysglo'r uwd ac arllwys y coco.

'Oeddech chi'n gweld eich teulu yn awr ac yn y man?'

Oeddwn, siŵr. Dw i'n cofio 'chydig ddyddiau wedi i mi ddod i'r Cartref, daeth yncl Owain i edrych amdana i. Roedd popeth iawn pan oedd o efo mi ond rhad ar bawb o'm cwmpas pan ymhwyliai i ymadael. Roeddwn i isio mynd efo fo – adra i'r dre at nain. Ond mynd 'naeth o hebdda i ar ôl gadael bagiad o gnau mwnci a ffrwythau i mi. Bwriais inna' fy hiraeth wrth rannu a bwyta'r rhain efo'r hogia.

'Oedd bywyd yn galed yn y cyfnod cynnar hwnnw yn hanes y Cartref?'

Wel, beth bynnag yr oedden ni'n ei golli ac yn ei ddiodde', mi ges agoriad llygad ac fe ddysgais lawer. Fel bachgen a fagwyd ar aelwyd heb blant, fe ddois i wybod am y gyfrinach o gyd-fyw, a sefyll 'chydig ar fy nhraed fy hun.

'Go brin, felly, fod bywyd y Cartref yn ddiflas ac undonog?'

Nac oedd, er y byddwn i'n teimlo weithia' y byddem yn cael ein caethiwo braidd. Eto, roedd 'na ddigon o bethau i'w gneud. Fe fyddem yn helpu tua'r gegin – glanhau cyllyll a ffyrc gyda bricsan a chlytiau. Helpu i 'sgubo'r cowrt, trin tipyn ar yr ardd, glanhau ein 'sgidia ein hunain, wrth gwrs, ac edrych ar ôl ein dillad. O, ia, torri *chips* hefyd, nid y petha i'w cael yn y dre mewn bagia papur gyda halan a finegr arnyn nhw dw i'n 'i olygu. I ni, torri *chips* oedd y weithred o dorri coed tân. Gorchwyl arall fyddai troi'r uwd. Roedd 'na dechneg arbennig o droi'r uwd. Byddai sosbeniad o uwd yn ffrwtian ar dân y *range* fawr yn y gegin ac wrth droi'r uwd roedd yn rhaid gofalu nad oedd yn cydio yng ngwaelod y sosban haearn fawr. Cofiwch, doedd popeth ddim yn felys, roedd yno dristwch yn ogystal â llawenydd. Ond fe gawsom ein harwain ar y ffordd iawn a chael ein meithrin i ddysgu adnodau o'r Beibl ac emynau, a'u caru.

'Oeddech chi'n ymwybodol eich bod yn ddi-gefn?'

Er ein bod yn byw mewn cartref i blant amddifad, doeddwn i, beth bynnag, ddim yn teimlo'n ddi-gefn. Fel plant y Cartref, neu 'plant yr hôms' ar lafar gwlad, roeddan ni'n byw mewn cymdeithas glòs a pherthynas agos â'n gilydd. Yn rhyfadd, doeddan ni ddim yn meddwl mai plant amddifad oeddan ni. I brofi hynny i chi, dw i'n cofio fel y bydda rhai ohonon ni'n cerdded i Gaernarfon ambell dro ac yn mynd heibio i adeilad bron ar gwr y dre, ac arwydd ar yr adeilad – *Marks Homes for Girls*. Roedden ni bob tro yn bitïo dros y genethod druain digartref, a oedd yn amddifad ac yn ddeiliaid yno, heb ystyried ein bod ninna yn yr un sefyllfa ac mor amddifad â nhwtha! Bendith, ddeuda i, ar wasanaeth yr hen Gartra, mae 'nyled i'n fawr iddo, a dw i 'di ceisio glynu byth ers hynny wrth egwyddorion yr Efengyl. Pe bai plant Cymru heddiw wedi cael y sylfaen gawson ni, mi fyddan nhwtha hefyd eisiau sôn am Iesu Grist a'i gariad ar y groes, a Thad yr amddifad.

'ROEDDWN AR FY ENNILL . . .'
Owen Lewis (1922-1928)

Mae byw i ddathlu pen-blwydd yn wyth deg pump yn gryn dipyn o gamp, heb sôn am fedru byw ar eich pen eich hun, glanhau a gofalu am y tŷ, golchi, coginio ac ati, yn yr oed hwnnw. Dyna hanes un o hen blant y Cartref. Y tro cyntaf i mi ei gyfarfod oedd yn Ebrill, 2000, ddeuddydd cyn ei ben-blwydd yn wyth deg pump. Fel yn hanes pob un o gyn-blant y Cartref, roedd croeso ei aelwyd yn fawr ac roedd yntau fel y lleill yn falch o gael sôn am ddyddiau ei fagwraeth. Roedd yn gwbl bendant na fedrai ymdopi â byw ar ei ben ei hun oni bai am y fagwraeth honno.

Roedd ganddo dŷ bach twt yng ngwir ystyr y gair, gyda lle i bopeth phopeth yn ei le. Flwyddyn cyn i mi ei gyfarfod, aethai ati i addurno a phaentio'r tŷ, y drysau a'r sgertin, y waliau a'r nenfwd. 'Tra medra i,' meddai, 'mi geisia i ddal ati fy hun.' Doedd ddim angen iddo brynu cacen siop ac yntau'n medru gwneud tarten fala, bara brith a theisen sbwnj cystal ag unrhyw wraig tŷ. 'Heddiw, dw i ar fy ennill oherwydd i mi fod yng Nghartref Bontnewydd,' ac ychwanegodd, 'Roeddwn ar fy ennill yr adeg honno hefyd.'

Tachwedd, 1922, oedd 'yr adeg honno'. Roedd yn un o wyth o blant ac, ar farwolaeth y fam, daeth ef a dwy o'i chwiorydd i fyw i'r Cartref. Roedd y Cartref yn llawn ar y pryd ac er mwyn cael trefn ar chwe deg o blant, roedd yn rhaid i'r rhai hynaf wneud eu rhan ac ymgymryd â gwahanol ddyletswyddau:

> Cyn brecwast, roedd yn rhaid helpu'r rhai lleiaf i ymwisgo ac ymolchi, twtian y bathrwm a gwneud y gwelyau, a throi'r fatras yn feunyddiol. Gwiw peidio â throi'r fatras oherwydd roedd gan Mrs Edwards ffordd hwylus o wybod hynny. Y cwbl yr oedd eisiau iddi ei wneud oedd rhoi ei llaw rhwng y cynfasau ac os oeddent yn gynnes, yna byddai'n rhaid ail-wneud y gwely!
>
> Ar wahân i'r plant bach, cyfrifoldeb yr unigolyn oedd gofalu am ei reidiau personol, fel llnau esgidiau a chadw'r gist ddillad yn daclus.

Pawb yn ei dro fyddai hi efo'r dyletswyddau cyffredinol, ac roedd cryn dipyn o'r rhain:

> Sgubo'r iard, polishio lloriau pren y llofftydd a'r ystafell fwyta efo polish *Ronux* coch! Pario tatws, moron a rwdins, a'r rhai hynaf yn palu'r ardd er mwyn plannu swej a llysiau eraill.
>
> Roedd plant yr Ysgol Sir a'r Ysgol Ganol yn cael gwaith cartref, ac os gwyddai Mr Edwards hynny, yna roedd yn rhaid ei gyflawni. Rheidrwydd, hefyd, oedd dysgu adnodau neu emynau i'w dweud yn yr Ysgol Sul.
>
> Fe ddysgais i'n gynnar sut i wneud popeth yn iawn ac yn drwyadl. A da hynny, gan 'mod i bellach yn weddw ac yn ddi-blant.

Roedd y Sul a'r min nosau yn rhai prysur yn hanes y plant:

- Dydd Sul: Yr Ysgol Sul yn y bore ac oedfaon yn y pnawn a'r hwyr. Dyna olygfa, siŵr o fod – tua chwe deg o blant yn llenwi tair rhes o seddau blaen canol llawr y capel, yr hogia ar y dde a'r merched ar y chwith, a phob un yn dweud ei adnod neu bennill o emyn.
- Nos Lun: Cyfarfod Gweddi.

- Nos Fawrth: Dod i ddeall y *Sol-ffa* a dysgu emynau at y gymanfa.
- Nos Fercher: Y Seiat.
- Nos Iau: Cymdeithas Lenyddol
- Nos Wener: *Y Band of Hope.*

Uchafbwynt y Sul i rai o'r hogia oedd cael pwmpio'r organ ac roedd eisiau bôn braich go lew i symud yr handlan bren. Gan fod llenni'n cuddio'r hogia o olwg y gynulleidfa a'r pregethwr, roedd hynny wrth fodd calon y rhai mwyaf direidus! Yn ystod canu'r emynau, byddai ambell bregethwr yn rhyfeddu clywed lleisiau ar y dde iddo a neb i'w gweld yno. Tybed a oedd piffian chwerthin i'w glywed yn ystod y bregeth?

Edrychid ymlaen at Ŵyl y Pasg a hynny nid oherwydd unrhyw arwyddocâd crefyddol ond oherwydd mai dyna'r adeg y byddai'r plant yn cael dillad newydd. Hefyd, cynhelid eisteddfod ar ddydd Iau a dydd Gwener y Groglith. Roedd modd i'r mwyaf dawnus ennill ceiniog neu ddwy wrth gystadlu ac roedd ceiniog yn sofren i rai na chaent bres poced.

> Rhaid cofio, w'chi, nad oedd llawer o blant yn cael pres poced yr adeg honno. Roedd un o hogia'r Cartref yn ddiguro am ganu oherwydd roedd gan John lais clir fel cloch a byddai'n ennill yn aml yn eisteddfodau'r cylch.

Uchafbwyntiau blynyddol eraill oedd pythefnos o wyliau yn y cartref arall, Y Benarth, Llanfairfechan.

Yn awr ac yn y man, deuai ambell drip annisgwyl i'w rhan. Cofia Owen Thomas fynd ar y trên bach o stesion Dinas i Borthmadog, a thrip arall ym mws Clynnog a Trefor i Lithfaen a cherdded wedyn i lawr yr allt serth i Nant Gwrtheyrn.

Y Nadolig hefyd, wrth gwrs:

> Ar wahân i blant y byddigions, ychydig iawn o blant eraill oedd yn cael coeden Nadolig o faint sylweddol, os o gwbl. Ond byddai 'na goeden werth chweil yn dod o rywle bob blwyddyn ac anrhegion arni i bob un ohonon ni.
>
> Mantais arall oedd fod dŵr poeth a thrydan yn y Cartref, pan oedd cartrefi'r fro yn dibynnu ar lampau paraffîn i gael goleuni, a berwi'r teciall bob tro i gael dŵr cynnes. Roedd gynnon ni'r hogia ein ffordd ddireidus o roi sioc fach i ambell un yn y cwt lectric ond chafodd neb fawr o niwed, cofiwch. Gan fod y Cartref yn medru cynhyrchu trydan, golygai y medrem gael *bath* bob nos. Mae glendid yn dal yn bwysig i mi hyd y dydd heddiw.

Canmolai'r bwyd: uwd, cig mochyn a bara menyn i frecwast. Deuai plant yr ysgol gynradd adra i'r Cartref am eu cinio, a hwnnw'n ginio poeth, a'r plant oedd yn mynychu ysgolion Caernarfon yn cael eu cinio poeth fin nos:

> Roeddwn i'n hoffi tatws yn popty a thatws llaeth a'r pwdin, wrth gwrs, ond roedd yn rhaid aros i Mr Edwards dd'eud gras bwyd cyn y medrem gyrraedd ato. Mi fedrai fod yn ganmil gwaeth arna i fel plentyn amddifad ond heb unrhyw amheuaeth roeddwn ar fy ennill.'

'NI FEDRWN GAEL UNMAN GWELL'
E.E. (1925-1930)

Ychydig ddyddiau cyn y Nadolig, 1925, bu farw un o famau ifanc tre Caernarfon. Roedd ganddi ddau blentyn, merch fach bedair oed a bachgen deng mlwydd. Tri mis wedyn, ar Fawrth 29, 1926, bu farw'r tad hefyd. Croesawyd y ddau blentyn i gylch teulu mawr Cartref Bontnewydd. Bron dri chwarter canrif yn ddiweddarach, roedd y bachgen dengmlwydd hwnnw yn cofio'r digwyddiad fel pe bai newydd ddigwydd.

Arswydai wrth feddwl beth fyddai ei hanes pe baent wedi ei anfon i Bodfan, neu'r wyrcws ar lafar gwlad. Yn wir, tosturiai wrth y plant a oedd yng ngofal y sefydliad hwnnw.

Roedd ei sylwadau a'i storiau am y pedair blynedd y bu yn y Cartref mor amrywiol â chynnwys bagiad o *liquorice allsorts*:

> Doedd 'na ddim carpedi ar loriau'r llofftydd, wyddoch chi, ac wrth droed pob gwely roedd 'na gist bren lle cadwai pawb eu dillad glân ac ati, ac roedd yn drewi o ogla *moth-balls*!
>
> Hogyn trowsus bach pen-glin oeddwn i. Ar ôl i mi adael y Cartra i fynd yn brentis becar y ces i drowsus llaes. Doedd 'na ddim jîns yr adag honno, wrth reswm.
>
> Bob amsar te, roedd 'na beth wmbrath o fara menyn yn ein disgwyl, wedi eu stacio ar ben ei gilydd. Hyd y dydd heddiw alla i ddim madda i grystyn torth, a phan oeddwn yn hen hogyn mi fyddwn yn ymestyn at y crystyn er ei fod yng ngwaelod y twmpath bara menyn nes bod y rheini'n chwalu i bob cyfeiriad. [Nid rhyfedd felly iddo fynd yn brentis becar!]
>
> Roedd gan bawb ei ddyletswydda i'w gwneud, llnau sgidia a pholisho lloria pren y llofftydd nes byddan nhw'n sgleinio.
>
> Roedd yn rhaid dysgu'r *Rhodd Mam* a'r plant hynaf yn dysgu'r *Hyfforddwr*. Yn ôl y *Rhodd Mam*, roedd 'na ddau fath o blant, plant da a phlant drwg. Yn ôl rhai pobol, y ddau fath oedd plant yr hôms a

Llun olew o'r
Parchedig
Richard Thomas,
ail-Ysgrifennydd
y Cartref,
1904-1945

uchod:
Dysgu
pwytho,
1913

Wrth y
fainc,
1913

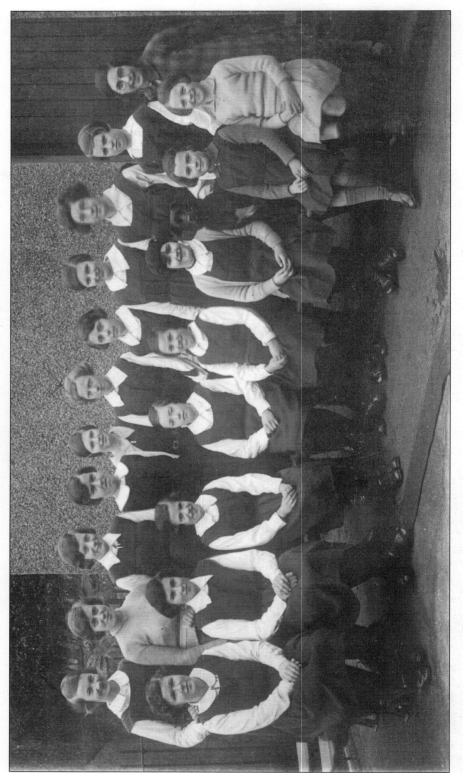

Rhes gefn o'r chwith: Doreen, Nellie, Dilys, Leusa, Mavis, Lilian, Olwen, Fay, Hilda, Blodwen, Nancy
Rhes flaen: Bettie, Lucia, Joan, Helen, Ann, Mairwen, (Tim y ci), Margaret, Megan
(oddeutu 1936-1938)

Preifat W. D. Idris Jones

Preifat Hugh R. G. Williams

Trip i Bwllheli ym 1935, ar wahoddiad Clwb y Rotariaid.

Y Gofalwyr
Mr. a Mrs.
Humphrey a Mary
Grace Griffith,
gyda'r meibion,
Iorweth Llewelyn
a'i frawd mawr,
John Ellis.

Llun olew o
Mrs. A. Wynn Ellis –
metron o 1908-1922 ac
o 1945-1962

Achlysur dathlu Jiwbili y Cartref, 1952

TREFNLEN Y DATHLU.
MEHEFIN 5, 1952.

Croesewir y Cynrychiolwyr i'r Cartref y prynhawn, a bydd te ar y byrddau am 3.30 p.m.

CYFARFOD CYHOEDDUS.
YNG NGHAPEL M.C., BONTNEWYDD.
(Trwy ganiatâd caredig y Swyddogion.)

Dechreuir am 6.

Llywydd: Mrs. R. S. PARRY, Bronant, Bontnewydd.

Arweinydd: Mr. J. ERYRI JONES, Bangor.
(Cadeirydd y Llywodraethwyr.)

Y GWASANAETH DECHREUOL dan arweiniad y Parch. Evan Lynch, Carrog.
Emyn.
Cyd-adrodd Hosea xiv. Plant y Cartref.
Gweddi

2. ANERCHIAD Y LLYWYDD.

3. CHANT. Salm xxiii. Plant y Cartref.

4. I ANNERCH:
Mr. W. Gilbert Williams, M.A.
Mr. Hugh Hughes, Bae Colwyn.

5. CÂN: "Ffarwel i'r Gwynt a'r Eira." Plant y Cartref.

6. I ANNERCH:
Y Parch. W. D. Jones, B.A., Lerpwl.
Dr. Griffith Evans, Caernarfon.
Y Parch. Dr. John Owen, M.A., Morfa Nefyn.

7. CÂN: "Daeth Iesu i'm calon i fyw." Plant y Cartref.

8. GWEDDI: Mr. J. Roderick Williams, Caernarfon.

Trefn y Cyfarfod Dathlu Jiwbili – Mehefin 5, 1952

Achlysur dathlu tri chwarter canrif y Cartref, 1977

TREFN Y CYFARFOD

Llywydd:

Mr. W. EMRYS JONES, Bangor

Arweinydd:

Y Parchedig O. J. PRITCHARD, B.A., Llanfairfechan
(Cadeirydd y Llywodraethwyr).

Cyfeilydd:

DILYS ELWYN EDWARDS.

Y GWASANAETH DECHREUOL
Dan arweiniad y Parchedig Gwilym Parry, Y Bontnewydd.
Emyn 357 — Plant Y Cartref.
Darllen o'r Ysgrythur — Plant Y Cartref.
Gweddi.

CÔR CERDD DANT
Ysgol Gynradd Y Bontnewydd.

ANERCHIAD
Y Llywydd.

CÂN
Bryn Terfel Jones, Pantglas.

CYWYDD I'R CARTREF
Elinor Bennet Wigley. (Geiriau gan y Prifardd, Gerallt Lloyd Owen).

ATGOFION
Y Parchedig Emrys Thomas, Morfa Nefyn.

UNAWD
Mr. Robert Wyn Roberts.

GAIR O DDIOLCH
Y Parchedig Gareth Maelor Jones, Y Bontnewydd.

EMYN

Cyfarfod Dathlu Tri-chwarter Canrif, Mai 19, 1977

phlant pobl eraill! Ond chwarae teg i Ysgol Bontnewydd, er bod y sgwlmistar yn medru disgyblu'n greulon, doedd yr ysgol ddim yn g'neud gwahaniaeth rhyngon ni, blant y Cartra, a'r lleill. Er, mi ges gansan ganddo ar bob llaw. Y cwbl wnes i o'i le oedd byta *cherries* yn ystod y wers ond roedd pawb yn cael eu cosbi yr un fath, dim ots pwy oedden ni.

Mynd ar ein gwylia'? Do, unwaith i'r lle arall hwnnw yn Llanfairfechan . . . Ia, dyna chi, y Benarth. Wnes i ddim mwynhau'r gwylia gan nad oedd gen i bres i'w gwario yno.

Na, doedd gynnon ni ddim pêl-droed a doedd gan blant y pentra 'run 'chwaith yr adeg honno . . .

Yna, gyda gwên fawr ac edrychiad uchel-ael, ychwanegodd:

Ond roedde ni, blant y Cartra, yn chwara *croquet* yn y cae dros y ffordd i'r ty, cofiwch!

Bob yn hyn a hyn, byddai rhyw wraig ddiarth yn dod i'r Cartra i roi gwersi ffidil ond ches i mo'r cyfla.

Disgyblu? Oedd, a'r gosb eitha oedd cael fy anfon i'r selar. Doedd dim ots gen i 'chwaith gan fod llond y lle o lyfra ac âi'r amsar yn reit sydyn wrth edrych ar y rheini.

Na, ches i ddim cam, er nad oedd pawb yn hapus ei fyd ond, o dan yr amgylchiada', ni fedrwn gael unman gwell.

Ar Fedi 15, 1930, gadawodd y Cartref ac ymgartrefu gyda'i fodryb.

'NI WYDDWN YN AMGENACH'
Mrs Hilda E. Roberts (1924-1943)

Fel arfer, byddai'r plant a oedd wedi 'madael o'r ysgol yn gadael y Cartref, hefyd, i ddilyn crefft neu fynd i wasanaeth. Ond byddai rhai'n aros gan eu bod wedi llwyddo i gael addysg bellach, a rhyw ychydig yn aros ymlaen mewn gwasanaeth yn y Cartref, a dyna fu hanes Hilda Roberts. Y drefn oedd mynd drosodd i dŷ'r bechgyn i wasanaethu ac yn ei hamser hi Mr a Mrs Humphrey a Mary Grace Griffith oedd yn ofalwyr yno, a chanmolai garedigrwydd y ddau.

Daethai dan ofal y Cartref yn deirblwydd oed yn 1924 ac felly nid yw'n cofio dim am ei haelwyd yn Llanfairfechan ac ni all gymharu Cartref Bontnewydd â'r aelwyd gynhenid honno. 'Roeddwn yn derbyn y sefyllfa gan na wyddwn yn amgenach,' meddai. Gwenai'n braf wrth fwrw ei hatgofion ac nid oedd y mymryn lleiaf o chwerwder yn yr atgofion hynny.

...t fel y deuent i'r cof, o ambell swper o wŷ 'di ffrio efo nionod a
. poethion i'r *treat* a ddilynai'r gymanfa ganu yn un o gapeli
...rnarfon, sef te yng Nghaffi Hooson. Cofiai bobl, wrth eu gweld yno ac
yn gwybod mai plant amddifaid oeddent, yn sibrwd yn isel: 'Y petha bach'.
Nid oedd angen y cydymdeimlad geiriol hwnnw arni chwaith oherwydd
dywedodd fwy nag unwaith, 'Ni wyddwn yn amgenach'. Pwysleisiodd nad
oedd ganddi gywilydd yn y byd o'i magwraeth – magwraeth a roddodd
iddi werthoedd ac egwyddorion a fu'n gymaint o gymorth iddi drwy ei
bywyd.

'DDARU'R UN OHONON NI OFYN AM GAEL MYND I'R CARTREF'
Mrs Fay Jones (1929-1941)

Yn niwedd y dau ddegau, derbyniwyd dwy chwaer a oedd yn amddifad o
dad a mam i ofal y Cartref. Roedd yr hynaf yn chwech oed a'r ieuengaf yn
deirblwydd. Mae atgofion yr hynaf o'r chwiorydd o'i magwraeth yng
Nghartref Bontnewydd yn fyw ac yn glir er bod trigain mlynedd a mwy
wedi mynd heibio ers hynny.

Pan ofynnwyd iddi beth oedd yn sefyll allan yn y cof, cafwyd llifeiriant o
atgofion a theimladau cymysg – rhai'n llawen ac eraill yn ddwys. 'Ddaru'r
un ohonon ni ofyn am gael mynd i'r Cartref,' meddai, ond roedd yr un mor
barod i gydnabod y lloches a'r gofal a gawsant a hwythau'n amddifad o dad
a mam. Roedd brawd a chwaer arall heb fod yng ngofal y Cartref. Heb
ymgynghori â'r tri hynaf, trefnwyd i'r chwaer fach gael ei magu gan rieni
maeth. Beth bynnag oedd y manteision a ddeuai o wneud hynny, roedd
gwahanu'r ddwy chwaer a cholli cwmnïaeth fach y nyth yn ergyd ddwbl i
un a oedd newydd golli tad a mam.

Yn y cyfnod hwnnw, roedd oddeutu 30 o fechgyn a'r un nifer o ferched
fwy neu lai yn y Cartref. Hwyrach fod hynny'n un rheswm paham na
chaent fynd i'r pentref i chwarae fin nos ac ar Sadyrnau. Byddai'n anodd
cadw rheolaeth ar nifer mor fawr o blant, ac felly roeddent wedi eu hynysu
o fewn tiriogaeth y Cartref.

Wrth edrych yn ôl, credai nad oedd hynny'n ddrwg i gyd oherwydd
crëwyd cymdeithas glòs a pherthynas agos rhyngddynt.

> Roedden ni'n barod iawn i amddiffyn ein gilydd, a fedrai neb newid
> yr amgylchiadau anffodus a ddaeth i'n rhan, sef angau yn cymryd ein
> rhieni oddi wrthym. Roedd hyn yn brofiad chwerw yr oedd yn rhaid
> ei dderbyn, er mor anodd oedd hynny. Pe bai adnoddau, awyrgylch ac
> amgylchiadau Cartref Bontnewydd wedi bod yn gwbl ddelfrydol, ni
> fyddai'n bosib hyd yn oed wedyn osgoi'r stigma mai un o blant yr

'Hôms' oeddech chi, a hynny'n bennaf oherwydd patrwm ac agwedd cymdeithas.

Er bod gan y Cartref agwedd amddiffynnol drwy gadw'r plant ar wahân i fywyd pentrefol, roedd yn rhaid ymdoddi i fywyd y capel a'r Ysgol Sul. Ni chaent y sylw personol a gâi plant eraill ar eu haelwydydd ond, serch hynny, bu i lawer roi cyfrif da ohonynt eu hunain yn Arholiadau Sirol yr Ysgol Sul, a rhoi'r Maes Llafur ar gof a chadw. Ymfalchïai iddi hi ac eraill o blant y Cartref lwyddo yn y *scholarship* a chael mynediad i'r Ysgol Sir. Edrychent ymlaen, hefyd, at Eisteddfod y Groglith a oedd yn rhan o fywyd y capel lleol. Efallai fod hynny'n rhoi peth amrywiaeth i batrwm eu bywyd, yn union fel y gwahoddiad blynyddol a ddeuai oddi wrth berchennog y *Plaza*, Penygroes. 'Roedd cael mynd i'r pictiwrs yn *treat* i ni ac felly hefyd y sosejis a gaem i frecwast fore Dydd Nadolig.' Cwmni Isaac Parry, Caernarfon, a ofalai am anfon y dolenni sosejis yn rhodd i blant y Cartref. Ymhen blynyddoedd wedyn, roedd hithau'n wraig fusnes lwyddiannus ac o flwyddyn i flwyddyn roedd ganddi ei ffordd garedig ei hun o gefnogi'r Cartref, heb i neb ond un neu ddau wybod hynny. 'Yn faterol, nid oeddem mewn angen, cawsom ein dilladu a chaem ddigon i'w fwyta a llawer iawn o hwyl er gwaethaf ein hamgylchiadau.' Yn wir, roedd yn bleser ei holi ac roedd hithau'n mwynhau bwrw ei hatgofion.

'UN O'R HOGIA'
Iorwerth Llewelyn Griffith (1933-1939)

Deg oed oedd Iorwerth Llewelyn Griffith pan ddaeth ei rieni, Humphrey a Mary Grace Griffith, yn ofalwyr i Gartref Bontnewydd (1933-1945). 'I bob diben,' meddai, 'roeddwn yn un o'r hogia.' Cofnodwyd ei enw fel pob plentyn arall yn Llyfr Cofrestr y Plant. Yn wir, yr oedd yn un o'r hogia' ym mhob ystyr, yn rhannu'r un ystafell wely â'r bechgyn eraill, yn bwyta, chwarae a chyd-fyw â hwy. Bu'n brofiad a wnaeth iddo werthfawrogi bywyd a thad a mam oherwydd trwy'r amser roedd yn ymwybodol fod ei rieni ef wrth law pe bai eu hangen arno. Dyna'r gwahaniaeth mawr.

'ROEDDEM GYDA'N GILYDD'
John Elwyn Hughes (1938-1944)

Daeth John Elwyn ac Iris, ei chwaer hynaf, i'r Cartref gan fod eu mam yn wael mewn ysbyty. Roeddent yn amddifad o dad ers bron i dair blynedd. Roedd eu chwaer fach, Helen, yng ngofal un o'r teulu, a phan fu farw'r fam, daeth hithau at ei brawd a'i chwaer ym Medi 1938. Roedd cael bod gyda'i

...ı yn dod â llawenydd a boddhad mawr i John Elwyn, er bod y
...nwng tŷ'r bechgyn a thŷ'r genethod yn ei rwystro rhag mynd at ei
...orydd fel y mynnai, ac ni feiddiai'r mwyaf mentrus o'r bechgyn herio'r
...refn gan fod Miss Morgan, a ofalai am y genethod, yn gymaint o deyrn.
'Roeddem gyda'n gilydd a dyna oedd yn bwysig,' meddai. Buan iawn y
daeth i dderbyn y drefn, a phrun bynnag, roeddent y tu draw i awdurdod
Miss Morgan yn yr ysgol bob dydd.

Ond nid oedd neb y tu draw i haint y *diptheria* a sgubodd trwy'r wlad yn
1939, nid hyd yn oed Miss Morgan. Bu'n rhaid iddi hithau ac un o'r
genethod ac oddeutu pymtheg o'r bechgyn fynd i'r ysbyty. I fechgyn nad
oedd ball ar eu dychymyg, buan iawn y manteisiwyd ar yr afiechyd i'w
difyrru eu hunain, a chwarae ambiwlans fuodd hi wedyn yn hanes chwech
ohonynt. Berfa oedd yr ambiwlans a phawb yn eu tro yn gyrru'r cerbyd un
olwyn – pawb ond yr ieuengaf sef John Elwyn. Ef oedd y claf yn y ferfa. Cyn
nos, roedd pedwar o'r *paramedics* yn yr ysbyty eu hunain yn wael o'r
diptheria!

O'r holl hogia' oedd yno'r adeg honno, ef oedd yr unig un efo sbectol ac
roedd y sbectol nid yn unig yn gymorth iddo weld ond hefyd iddo gael ei
weld. Pan fyddai mistimanars yn digwydd roedd yr 'hogyn sbectol 'na' yn
sefyll allan ymhlith y troseddwyr direidus. Fel y sbectol, roedd teleffon yn
golygu bod Cartref Bontnewydd hefyd yn wahanol i dai eraill y cylch.
Roedd yn adeg rhyfel ac roedd y seiren agosa' yng Nghaernarfon a oedd yn
rhy bell i bobl y Bontnewydd ei chlywed. Felly, y teleffon hwn oedd yr unig
gyfrwng a oedd gan yr awdurdodau i gysylltu ag aelodau'r A.R.P yn y
cylch. Y bechgyn hynaf oedd yn cael eu hanfon gyda'r neges ac, o bryd i'w
gilydd, roedd yr 'hogyn sbectol 'na' yn eu plith ac o dan lenni'r nos roedd
yntau'n ddiogel – pwy welai sbectol a hithau fel y fagddu!

Ef a fu'n gyfrifol am ddod â'r Goeden Nadolig flynyddol i blant y Cartref
am yn agos i ddeugain mlynedd.

Er iddo golli ei rieni, ni chollodd ei gydymdeimlad at eraill ac mae'n dal
i werthfawrogi iddo ef a'i chwiorydd gael bod gyda'i gilydd pan oedden
nhw'n blant.

'DWI'N COFIO . . .'
Trevor Wyn Prydderch (1941-1952)

Wrth wrando ar Trefor Prydderch yn sôn yn hwyliog am droeon yr yrfa yn
ei hanes ef a'i frodyr, deuai'r 'troeon' hynny ag atgofion melys iddo, ac
roedd Awst 22, 1941, yn fyw yn ei gof fel pe bai newydd fod. Dyna'r
diwrnod pryd yr aethpwyd ag ef a'i frodyr i'r Cartref.

Un arall sy'n cofio'r diwrnod hwnnw yw'r Parchedig Harri Owain Jones, Llanfairpwll. 'Mae wedi serio ar fy meddwl,' meddai wrth adrodd yr hanes am Trevor a'i frodyr, Wil, Tom a Bob, yn cael eu danfon o Ddwyran, Ynys Môn, i Gartref Bontnewydd gan ei dad, y diweddar Barchedig R. R. Jones, a Harri'n cael mynd gyda'i dad a'r hogia' yn y Morus 8 bach du, EY 5269. Roedd gweld y pedwar brawd yn mynd i gartref amddifad yn brofiad ysgytiol i fachgen bach saith oed a dyna un rheswm, mae'n debyg, pam y bu yntau mor gefnogol i Gartref Bontnewydd trwy gydol ei weinidogaeth.

Ar drothwy ei saith oed y daeth Trevor i'r Cartref ac roedd sylwi ar ei lygaid yn pefrio wrth adrodd hanes ei blentyndod yn dweud llawer am y plentyndod hwnnw, a'r storïau difyr yn lliwgar a chaleidosgopaidd, un yn dilyn y llall a blas mwy ar bob un:

> Fel pob plentyn arall, roeddwn yn llawn castiau, a phan ddeuai fy nhro i blicio tatws, rwdins a moron, manteisiwn ar y ffenest agored i fwydo'r hogia', oedd yn yr iard y tu allan, efo darnau amrwd o'r llysiau. Roedd mentro i fyd garddwriaeth ar ôl gadael y Cartref yn naturiol imi gan y byddwn yn treulio oriau pleserus yn yr ardd ac yn aml iawn yn yr haf yn dal ati hyd ddeg o'r gloch o'r nos a'r swper wedi ei hen glirio erbyn imi ddod i'r tŷ.

Os nad oedd *take-away* fel y *Big Mac* ar gael yn y dyddiau hynny, medrai Mrs Ellis, y metron, wneud byrbryd yr un mor seimllyd iddo, sef brechdan saim a diod o lefrith i'w golchi i lawr, ac yntau'n blasu pob briwsionyn. Efallai mai saim cig-mochyn wedi'i ffrio oedd o!

Credai Mrs Ellis mewn rhoi diod o lefrith iddynt gyda phob pryd bwyd a phan fyddent yn brin o lefrith byddai'r hogiau, pawb yn eu tro, yn picio drwy'r cae i fferm y Bronant i nôl llefrith. Un bora, wrth redeg i lawr y cae yn ei frys, llithrodd a chollodd gryn dipyn o'r llefrith o'r piser ond, serch hynny, roedd y piser yn llawn i'r ymylon pan gyrhaeddodd y gegin. Un o wlad y medra oedd Trevor a'r bora hwnnw bu iddo droi dwr yn llefrith ac er ei fod braidd yn lastwraidd doedd neb ddim callach.

Doedd dim posib twyllo Mrs Ellis bob amser. Weithiau, byddai'r hogia'n codi yng nghanol y nos ac yn sleifio i'r pantri i'w helpu eu hunain i gynnwys yr oergell ond roedd drws y oergell yn gwichian, a'r wich yn ddigon uchel i'w chlywed o'r llofft uwchben, sef ystafell wely Mrs Ellis! Roedd ei chlustiau'n ddigon tenau i glywed hefyd y wich a ddeuai wrth sathru un o risiau'r atig – yno y byddent yn cadw'r ffrwythau. Weithiau, er llwyddo yn y tywyllwch i osgoi gris y wich, byddai ambell un yn llac ei afael a'r afalau'n rowlio i lawr y grisiau ac roedd hi ar ben arno wedyn.

O bryd i'w gilydd, byddai Trevor yn hel cerrig yn fferm Cefnynysoedd ac yn cael cyflog bach am wneud hynny. Os cafodd ei ddal gan Mrs Ellis yn mentro i'r oergell neu'r atig liw nos, chafodd o mo'i ddal yn taflu carreg yn awr ac yn y man dros y clawdd i'r cae nesa' er mwyn cael gorffen ynghynt!

Roedd 'dw i'n cofio' yn ymadrodd a glymai un atgof ar ôl y llall wrth iddo fwrw trem yn ôl.

> Dw i'n cofio'r hogia'n heidio i ben y grisiau pan ganai'r teleffon islaw i glustfeinio ar y sgwrs. Symudwyd y ffôn i'r swyddfa'n fuan iawn.
>
> Dw i'n cofio, hefyd, y boddhad o weld Dr John Griffith yn galw heibio a Jymbo wrth ei sodlau – roedd Jymbo'n gi ddigon mawr a chryf i'r plant lleiaf gael reid ar ei gefn fel 'tai'n ful bach.
>
> Dw i'n cofio tripiau'r Ysgol Sul a ninnau'n cael bws i ni'n hunain gan fod cymaint o blant yn y Cartra a chofio seddau plant y Cartre yng Nghapel Siloam yn llawn bob Sul. Seddau blaen yn y canol oedd y rhain. Eisteddai'r genethod un ochr a ninnau'r bechgyn yr ochr arall. Doedd wiw i neb siarad na throi'n ôl i weld pwy oedd yn y capel. Roedd llygaid barcud Mrs Ellis yn dilyn pob symudiad a phe digwyddai i un ohonom gael ei ddal, ni châi deisen i de y Sul hwnnw! Roedd yn rhaid i ni fynychu holl oedfaon y Sul a chyfarfodydd noson waith a dod adref yn syth wedyn, oherwydd ni chaem gymysgu efo plant yr ardal yn ein hamser hamdden.

Serch hynny, nid oedd bywyd yn boen nac yn syrffed iddo oherwydd medrai'i ddifyrru ei hun ac roedd digon o bethau i'w gwneud wedi dod adref o'r ysgol neu'r capel. Dyna'n union beth oedd Cartref Bontnewydd iddo – aelwyd ac nid sefydliad, cartref ac nid hôm, a chyda balchder y cyfeiria ato'i hun fel un o blant teulu Cartref Bontnewydd.

'I FAN'NA DW I AM FYND I WEITHIO'
Mrs Menna McDade (née Jones) (1967-1979)

Yr un balchder oedd yn nodweddu'r rhai a ddaeth yn aelodau o staff y Cartref gan gynnwys fi fy hunan a'm teulu. Bu i ni sylweddoli'n fuan fod rhyw gadwyn deuluol arbennig yn cysylltu pawb â'i gilydd a'n bod ninnau hefyd yn ddolennau ynddi. Os oedd rhywrai oddi allan i gylch y Cartref yn rhoi eu llach ar y plant ac yn peri eu bod yn cael cam mewn unrhyw fodd, roedd y staff yn reddfol yn eu hamddiffyn ac yn eu gwarchod.

Yn nyddiau'r hen oruwchwyliaeth, cyn bod sôn am addysg bellach mewn colegau technegol a chyfle i bobl ifanc ddilyn cyrsiau gofal plant a gwyddor tŷ, cymryd eu harwain gan staff profiadol y Cartref a wnâi'r genod ifanc a ddeuai yno i ofalu am y plant. Ond nid geneth ifanc ddibrofiad yn ei harddegau oedd Mrs Menna McDade pan ddaeth yn aelod o'r staff yn 1967. Roedd yn saith ar hugain ac wedi cael ysgol brofiad werthfawr cyn hynny yng ngwasanaeth Dr a Mrs O. Lewis Jones, Cricieth. Erbyn i'm priod a minnau ddod i'r Cartref yn wardeniaid, roedd Menna eisoes wedi cwblhau wyth mlynedd o wasanaeth ac yn is-fetron. Rhoddodd ddeuddeng mlynedd o wasanaeth cydwybodol i'r Cartref, a dyna un rheswm paham y gofynnais iddi hi am rai o'i hatgofion.

Ei chof cyntaf o Gartref Bontnewydd yw teithio i Gaernarfon gyda'i mam a'i chwaer ar un o fysus coch Clynnog a Trefor.

> Fedren ni ddim peidio â sylwi ar yr adeilad du a gwyn ar fin y ffordd a dw i'n cofio Llinos, fy chwaer, yn deud 'i fana dw i am fynd i weithio'. Wnes i ddim meddwl ar y pryd mai fi ac nid fy chwaer fyddai'n gweithio yno 'mhen blynyddoedd wedyn.

Un o blant Trefaldwyn yw Menna ac mae'r mwynder a gysylltir â phobl y rhan yma o Gymru yn amlwg iawn yn ei chymeriad, ac roedd yr addfwynder hwnnw i'w weld yn ei pherthynas â'r plant a oedd dan ei gofal.

> Medrais glosio at y plant yn ddidrafferth gan fod tri brawd o Drefaldwyn yn eu plith. Roeddwn yn 'nabod y teulu'n dda a bûm yn angladd eu mam. Felly, roeddwn yn falch mai dyletswyddau tŷ'r bechgyn a roddwyd i mi. Mrs Griffiths, y ddirprwy-fetron, minnau ac un arall a ofalai am y bechgyn. Roedd yn rhaid deffro tua saith a chodi cyn clywed swn traed Mrs Griffiths ar ben y staer er mwyn cael y blaen arni. Yn syth wedyn, roedd prysurdeb y bore'n cychwyn, pawb efo'i fag-cadw-taclau-molchi a'i dywel bach ei hun, yn mynd a dod yn fân ac yn fuan rhwng y llofftydd a'r stafell molchi. Ymhen amser, cefais y syniad o roi pwyntiau i bawb oedd yn ymdrechu i neud ei wely mor dwt â gwely 'sbyty. Ar ddiwedd yr wythnos rhoddwn anrheg fechan yn wobr i'r un a gawsai fwyaf o farciau.

Doedd ddim angen i mi brocio cof Menna, oherwydd medrai gyfeirio at yr hogiau wrth eu henwau, un ar ôl y llall a dweud rhyw bwt am bob un.

> Roedd hogia'r Foel yn rhai da am 'sgota, wchi, ac yn treulio oria' ar lan afon Gwyrfai. Weithia', byddent yn dal eog braf heb gael eu dal eu hunain gan y cipar afon!

Cofiai rywbeth a nodweddai bob un o'r hogiau. Un yn crio ar ddim ac un arall yn un da am drin pensel a brwsh a phaent. (Diolch i Menna am roi o'i hamser hamdden i'w hyfforddi mewn sgiliau arlunio.) Roedd un arall yn amlwg ymhlith yr hogiau am iddo gerdded yn ei gwsg unwaith! Cofiai'n fyw iawn firi'r mudo i Benarth, Llanfairfechan, i dreulio gwyliau'r haf. Felly hefyd y paratoi ar gyfer y Nadolig.

Noson cyn y Nadolig, byddai'n rhaid i ni roi gorchudd clustog-gwely glân i bawb. Roedd yr hen rai'n cael eu defnyddio i ddal yr anrhegion ac enw pob bachgen ar ddarn o bapur a hwnnw wedi'i binio'n sownd wrth ei glustog. Roedd pawb yn cael pâr o slipars a dilledyn newydd, boed yn grys neu'n drowsus, a phob math o fân anrhegion fel gemau, llyfrau lliwio, melysion, afal ac oren ac ati. Wrth gwrs, roedd anrheg arbennig i bob un ohonyn nhw.

Un Nadolig, cafodd Glyn ddillad cowbois ac roedd wedi gwirioni'n lân efo nhw, ac roedd Roy a Gerallt wrth eu boddau efo dillad Indiad Coch. 'Nes i ddim meddwl y byddai'r hogia wedi codi o flaen y wawr, heb sôn am Benni a Roy yn rhoi'r wigwam i fyny yn fy llofft a minna'n deffro i swn neidio a dawnsio gwyllt o gylch y wigwam a Benni â'i law ar ei geg yn bloeddio 'W-w-w-w-w'!

Cefais ganddi un stori ar ôl y llall yn un rhibidirês – storïau difyr a rhai'n ddoniol ond yr un yn drist. Mae'n amlwg i'r Cartref wneud argraff ddofn ar Menna, ac mi wn iddi hithau hefyd adael ei hôl ar y plant. Os am wybod beth yw hyd, lled, dyfnder ac uchder dylanwad Cartref Bontnewydd, y llinyn mesur gorau yw'r plant eu hunain. Bellach, maent ar wasgar ym mhob man ond pan ddeuant yn eu tro i ardal eu mebyd, gwn mai'r mwynhâd mwyaf a gaiff Menna yw eu gweld yn galw heibio iddi.

Felly minnau a'm priod. Dyna i chwi Glyn – bob tro y daw i fyny i'r Gogledd, mae'n galw i'n gweld yn ddi-feth. Bu farw ei fam ac yntau ond teirblwydd oed. Hwyrach mai dyna'r ddolen-gyswllt rhyngddo ef a Brenda, fy mhriod – Glyn yn chwilio am ddelwedd mam a Brenda'n ymateb i hynny. Bob tro yr âi i'r gegin i smwddio dillad, byddai Glyn yn ei dilyn, er ei fod erbyn hynny yn ei arddegau cynnar. Hoffai eistedd ar un o'r cypyrddau gwaith a'i holi'n dwll am hyn a llall.

Weithiau, cawn alwad ffôn gan un o'r hen blant ac ambell lythyr. Daeth un llythyr yn 1995 oddi wrth David Mawr. (Roedd dau Ddafydd yn y Cartref yr un pryd, a David Bach y gelwid y llall). Gyda'r llythyr roedd siec am gant a hanner o bunnoedd yn rhodd i'r Cartref. Y pryd hynny roedd David yn y fyddin ac yn aelod o gatrawd parasiwt. Perswadiodd pawb oedd yn ei blâtwn i'w noddi i godi arian i'r Cartref fel arwydd o'i ddiolch am ei fagwraeth. Ei dasg oedd glanhau esgidiau pawb, *spit a polish* fel y dywedir am hynny yn y fyddin, ac yntau'n cael pum punt y pâr. Bu wrthi am ddyddiau. Meddai yn ei lythyr:

Rwy'n meddwl yn aml am y blynyddoedd a dreuliais yn y Cartref . . . rhaid cyfaddef mai dyna un o benodau hapusaf fy mywyd. Roedd bod yn Rhyfel y Falklands ym 1982 yn un o'r gwrthdrawiadau mwyaf ar fy mywyd ond y blynyddoedd a dreuliais yn y Cartref a'm parataodd ar gyfer bywyd a gwneud dyn ohonof.

Mae rhai o'r hen blant yn dal cysylltiad â ni mewn gwahanol ffyrdd. Roedd gweld Debbie yn sefyll wrth erchwyn fy ngwely pan oeddwn yn wael yn Ysbyty Gwynedd gystal ag unrhyw gyffur – gwenai o glust i glust a'i llygaid yn llaith yr un pryd. Weithiau, daw cais gan un neu ddau am gymorth mewn cyfyngder. Dro arall, Brenda a minnau'n cael gwahoddiad i briodas a minnau'n gwasanaethu. Gwahoddiad i wasanaeth bedydd hefyd ac, yn anffodus, i angladd un o'r hen blant. Bu farw Anwen yn fam ifanc dair ar hugain oed, ddydd Calan, 2000.

Y pethau hyn yw'r dolennau yng nghadwyn perthynas teulu mawr Cartref Bontnewydd a'r rhain sy'n peri i minnau a'm teulu ddweud, 'Roeddem ni yno'.

13. Y BENARTH A CHALONNAU CYNNES

Yn yr Adroddiadau Blynyddol cynnar, nodir bod rhoddion ariannol wedi dod o lefydd mor bell â'r Unol Daleithiau, Canada, yr Affrig a'r India (cyfaill o'r maes cenhadol, hwyrach). Yn Adroddiad 1914, dywedir bod: 'ysbryd mawr a chalon gynnes yn cymell yr oll ohonynt. Daw yr ysbryd hwn i'r golwg yn fynych, fynych'.

Ar y dechrau, eglwysi Henaduriaeth Arfon fu'n cyfrannu – 81 o gapeli i gyd! Ond yn fuan iawn cefnogwyd y Cartref gan eglwysi Henaduriaeth Llŷn ac Eifionydd ac eraill – ac, yn ogystal, capeli glannau Mersi. Bellach, nid oes ond chwech o eglwysi yn Henaduriaeth Lerpwl ond yn y dau ddegau roedd 18 o gapeli yn ysgwyddo baich Cartref Bontnewydd. Heb unrhyw amheuaeth, roedd gan yr eglwysi hyn le cynnes yn eu calonnau tuag at y Cartref. Un o'r rhesymau am hynny oedd fod llawer o blant amddifaid yn hanu o rieni Cymraeg cylch Henaduriaeth Lerpwl wedi dod i ofal y Cartref, ac erbyn 1926 derbyniwyd 28 o blant glannau Mersi a rhagor wedi hynny.

Ni ellir sôn am gefnogaeth eglwysi glannau Mersi heb gyfeirio at y Benarth, Llanfairfechan, a fu'n gangen o'r Cartref ac yn gartref gwyliau i'r plant am yn agos i drigain mlynedd. Ceir hanes y Benarth yn fanwl yng nghyfrol Richard Thomas, *Cartre'r Plant*. Yn dilyn, ceir cronoleg hanes y Benarth.

- Tua 1919, teimlwyd y dylid cael tŷ gwyliau, yn arbennig ar gyfer 'y rhai gwannach ac eiddilach na'i gilydd, yn enwedig pan gofiwn fod llawer ohonynt yn hanu o deuluoedd felly'. Y gobaith oedd y byddai awelon y môr yn llesol iddynt.
- Ym mis Mawrth 1920, prynwyd y Benarth.
- Deallwyd bod Henaduriaeth Lerpwl yn y broses o gasglu arian i godi cronfa er cof am y milwyr a fu farw yn y rhyfel.
- Erbyn mis Mawrth 1924, roedd Pwyllgor Cofeb y Milwyr wedi casglu £1450, a'r arian i'w ddefnyddio i brynu cartref gwyliau i blant Cartref Bontnewydd ac i ddarparu hyfforddiant gwaith ac ychwaneg o addysg iddynt.
- Cafodd y pwyllgor ddeall fod y Benarth eisoes wedi ei brynu a

chytunwyd i'w fabwysiadu fel cofeb i'r rhai a gollasai eu bywydau yn y rhyfel. Rhoddwyd tabled ar y tŷ i ddynodi mai Adeilad Coffa ydoedd a hefyd gwnaed tabled hardd o bren derw Awstria ac arni enwau dros 200 o filwyr a morwyr o lannau Mersi a fu farw yn rhyfel 1914-18. Rhoddwyd deunydd y dabled gan Mr W. Pritchard o Walton, Lerpwl.

- Gorffennaf 26, 1924: daeth tyrfa fawr o Arfon a Lerpwl i seremoni agoriadol y gangen newydd, ac yn eu plith roedd swyddogion Henaduriaethau Arfon a Lerpwl; aelodau o Bwyllgor Lleol Llanfairfechan a fu'n gyfrifol am ddiddosi'r tŷ, trefnu'r cyfarfod a darparu'r croeso i'r caredigion a ddaethai ynghyd o bell ac agos. Un ohonynt oedd Mr R. Rees Thomas, Penarwel, Llanbedrog, a roddodd anrheg o £300 at brynu'r dodrefn. Cyfeiriwyd ato 'fel un gynt o Lerpwl' gan y llywydd, Mr J. J. Bebb o eglwys Chatham St. 'Ie, a chyn hynny o Gricieth', ychwanegodd y Fonesig Margaret Lloyd George. Roedd priod y cyn-Brif Weinidog wedi ei gwahodd yno i agor y drws yn swyddogol ac i ddadorchuddio'r Panel Coffa.

- Wedi cyflawni'r gorchwylion hyn, daeth yn ôl i'r llwyfan a oedd ar y lawnt o flaen y tŷ ac aeth ati i ganmol ac edmygu gwaith Cartref Bontnewydd, ac meddai: 'Da chi, os oes rhywun heb 'neud ei ewyllys, cofiwch am y Cartref, ac mi gewch fendith yn ddiau'. Dyna'r math o sylw a oedd yn nodweddiadol o'i gŵr! Hawdd dweud wrth eraill am roi ond, chwarae teg iddi, rhoi cyn marw fu ei hanes hi, ac aeth i'r pwrs fwy nag unwaith, nage, agor y waled a wnaeth gan fod ei chyfraniadau'n hael dros ben.

- Ond yn y cyfnod hwnnw nid oedd angen i neb wneud apêl ar ran Cartref Bontnewydd gan fod yr enw ynddo'i hun yn ennyn cydymdeimlad a chefnogaeth y genedl, fel y dengys y cymynroddion ar hyd y blynyddoedd.

- Ar wahân i gronfa Cofeb y Milwyr, daeth i law y swm o £1046 drwy danysgrifiadau a chasgliadau. Heb amheuaeth, roedd calonnau cynnes ac ysbryd i weithio gan gyfeillion Cartref Bontnewydd.

- Ymhen blwyddyn wedyn, roedd Cartref Bontnewydd yn orlawn, felly roedd gwir angen y gangen yn Llanfairfechan. Bellach, roedd y Benarth nid yn unig yn 'hafod' i gael gwyliau yn ystod misoedd Gorffennaf ac Awst ond hefyd yn 'hendre' i nifer o blant nad oedd lle iddynt yn y Bontnewydd.

- Yr un flwyddyn, sef yn ystod haf 1925, aeth nifer o blant y Cartref atynt am wyliau am y tro cyntaf – y bechgyn a'r genethod yn eu tro. O hynny ymlaen, daeth yn arferiad blynyddol i gyfnewid tŷ yn ystod gwyliau'r haf – teulu'r Benarth yn dod i'r Bontnewydd a theulu'r Cartref yn mynd i Lanfairfechan, fel bod pawb yn cael cyfle i anadlu ogla'r heli.

- Yn 1928, aethpwyd â'r plant lleiaf i'r Benarth, 13 ohonynt ar y pryd, tra oedd 55 ar ôl yn y Bontnewydd. Arhosodd y plant yn y Benarth tan 1937 cyn dychwelyd i'r Cartref.

- Ar ddechrau'r Ail Ryfel Byd, gwnaed cais i ddefnyddio'r Benarth i roi lloches i blant un o ysgolion Lerpwl. O gofio'r cysylltiad â Lerpwl, caniatawyd hynny a'u croesawu'n gynnes yno.

- O'r chwe degau ymlaen, bu'n bolisi mynd â'r plant a oedd eisiau gofal tymor byr i'r Benarth, rhag bod eu mynd â'u dod yn anesmwytho'r plant a oedd yn aros am gyfnodau hir yn y Bontnewydd ac yn eu gwneud yn ansefydlog.

Nid yw hanes y Benarth yn gyflawn heb gydnabod cefnogaeth ardalwyr Llanfairfechan, a'r cymorth ymarferol a roddwyd gan aelodau'r ddau gapel, Horeb a Chaersalem. Roedd croeso a charedigrwydd y Sul yn ymestyn i ddyddiau'r wythnos ac yng nghwrs amser rhoddwyd peth wmbredd o roddion i blant y Benarth. Yn ystod misoedd yr haf, roedd y rhoddion hynny'n gweddu i'r tymor – dillad ymdrochi, rhawiau a bwcedi glan-y-môr, hufen iâ, a hefyd 'reid ar y mulod i'r genethod'. Pam y genod fwy na'r bechgyn, tybed?

Yn 1925, cyflwynodd Mr Owen Jones o Bwllheli dŷ gwyliau arall yn rhodd i Gartref Bontnewydd, sef ei gartref ei hun, Gorffwysfa. Aeth blynyddoedd heibio cyn i Gorffwysfa ddod i feddiant Cartref Bontnewydd ac erbyn hynny nid oedd angen tŷ haf arall arnynt. Felly, ar awgrym y Llywodraethwyr, gwnaed Gorffwysfa yn gartref hwyrddydd a dyna a fu nes gwerthwyd ef.

Erbyn 1987, nid oedd angen y Benarth 'chwaith. Rhoddwyd y tŷ ar y farchnad a rhoddwyd rhan o elw'r gwerthiant i Henaduriaeth Lerpwl fel arwydd o ddiolch am yr holl gefnogaeth a roddwyd gan eglwysi cylch Lerpwl.

Yn ystod y flwyddyn 2001, gwnaethpwyd ymholiadau gan un o hen blant y Benarth ynglŷn â'i phlentyndod yno. Ni fuasai yno'n hir iawn ac ychydig a gofiai am y lle ond cofiai ddau beth yn glir, sef fod gan y wraig ofalai am y Benarth ddau o fechgyn a oedd yn efeilliaid, ac 'roedd hi'n ddynes ffeind'.

Ni ellir cau drws atgofion am y Benarth heb werthfawrogi gwasanaeth pawb a fu'n gwarchod y lle ac yn gofalu am y plant a ddeuai i'w gofal. Mrs Mair Roberts oedd yr olaf i wneud hynny, a phwy'n well nag un a fu yno yn eneth fach i ddweud 'roedd hi'n ddynes ffeind'.

chwith: Y Panel Coffa

dde: Y Benarth, Llanfairfechan

isod: Teulu'r Benarth, 1928

14. ATGOFION EMRYS A MENNA THOMAS
(Ysgrifennydd a Wardeiniaid, 1959-1975)

YR ALWAD!

Roedd perthynas Syr Ifor Williams â ni a oedd yn ymgeiswyr am y weinidogaeth gyda'r Eglwys Bresbyteraidd ac yn astudio yng Ngholeg y Brifysgol, Bangor, yn un arbennig iawn. Ef oedd yn ein cynghori ac yn ein bugeilio a mawr oedd ei ofal amdanom. Mewn sgwrs â ni ar ryw achlysur neu'i gilydd, fe wnaeth sylw cofiadwy iawn – 'Y ddau beth mwyaf boneddigaidd a wnaeth yr 'Hen Gorff' oedd anfon cenhadon i'r India ac agor cartref i blant amddifaid yn y Bontnewydd'. Pan gefais wahoddiad i fugeilio eglwysi Siloam, Y Bontnewydd, a Phenygraig, Llanfaglan, ac addewid i fod yn ysgrifennydd a chyfarwyddwr y Cartref, fe gofiais eiriau Syr Ifor, er bod bron i ugain mlynedd wedi mynd heibio, a bu ei eiriau, rwy'n sicr, yn un o'r rhesymau dros i mi dderbyn yr alwad a symud o Benrhyndeudraeth ym mis Ionawr 1959. Wedi'r cyfan, roedd fy mrawd, Ednyfed, wedi mynd allan i'r India yn genhadwr ers 1945, ac felly yn rhan o 'un o'r pethau mwyaf boneddigaidd' a wnaeth y Cyfundeb, a dyma finnau'n cael cyfle i fod ynglŷn â'r 'peth mwyaf boneddigaidd' arall a wnaeth yr 'Hen Gorff'. Sut y gallwn i wrthod!

Yn ystod 1959 a 1960, fe gafodd pentref y Bontnewydd gryn sylw yn y wasg ac ar y cyfryngau, a phenllanw'r cyhoeddusrwydd, wrth gwrs, oedd Mai 6, 1960, diwrnod priodas y Dywysoges Margaret ac Anthony Armstrong Jones, o Blas Dinas, Y Bontnewydd – achlysur a oedd yn gwarantu diwrnod o wyliau i blant yr ysgol gynradd, a rhywbeth bach i gofio'r achlysur – cyllell boced i'r bechgyn, gyda'r llythrennau 'A' ac 'M' yn argraffedig arni (mae un yn y tŷ yma hyd heddiw) a thlws (*brooch*) i'r genethod gyda chyffelyb lythrennau arno.

Yn fuan wedi bwrlwm a miri'r amgylchiad a'r dathlu, daeth galwad arnaf fel gweinidog i ymweld ag un o f'aelodau yn ysbyty'r *Royal* yn Lerpwl. Yn y gwely agosaf ato, roedd Sais, llawn chwilfrydedd wedi deall fy mod i'n gweinidogaethu ym mhentref bach (iddo fo!) y Bontnewydd, ac meddai'n nawddoglyd braidd, '*So you're in the news now, and your little village is on the map*'. (Gwir pob gair, bu'r pentref yn gyrchfan i dwristiaid drwy'r flwyddyn). Nid oeddwn yn disgwyl i'r Sais wybod am Gartref Bontnewydd ond wrth gyflwyno Adroddiad Blynyddol y Cartref i Henaduriaeth Arfon y flwyddyn honno, roedd 'stori' fach y *Royal* yn fachyn hwylus i'r ysgrifennydd newydd (â'i Adroddiad cyntaf) bwysleisio bod y Bontnewydd eisoes ar y *map* ac yn y *news* mewn modd arbennig iawn, diolch i weithred 'foneddigaidd' R. B. Ellis a Henaduriaeth Arfon ddechrau'r ganrif yn agor Cartref clyd a chrefyddol i blant amddifaid a difreintiedig. Ein cyfrifoldeb ni bellach oedd adeiladu ar seiliau gweledigaeth yr arloeswyr, a thrwy hynny sicrhau bod Cartref Bontnewydd yn cadw'i le ar y map ac yn dal i fod 'yn y newyddion' heddiw. Dyna'r nod yn sicr i mi a'r Bwrdd Llywodraethu, y Pwyllgor Ymweld, a'r Ymddiriedolwyr, ar ddechrau'r cyfnod y bûm i'n gysylltiedig â'r Cartref.

DECHRAU'R DAITH 1959-1962
(Cyfnod yr ysgrifennydd-gyfarwyddwr a gweinidog y 'teulu')

Dechreuais yn fy swydd newydd y dydd cyntaf o Ebrill 1959 – dri mis union wedi fy sefydlu yn weinidog yr ofalaeth. O ganlyniad, fel eu bugail y dois i adnabod teulu'r Cartref am y tro cyntaf. Rwy'n dal i gofio f'ymweliad cyntaf. Penderfynu galw cyn y seiat ar noson oer iawn yn nechrau Ionawr a thrwch o eira o dan draed, ond roedd cynhesrwydd y croeso a gefais gan y 'teulu' i gyd yn brofiad i'w drysori ac yn ernes o'r berthynas hapus a fu rhyngom am un mlynedd ar bymtheg, er nad oeddwn i na neb arall wedi rhagweld bryd hynny y byddai fy mhriod a minnau'n rhan annatod o'r 'teulu' cyn bo hir.

Fy rhagflaenydd yn y swydd oedd y Parchedig O. J. Pritchard, Llanfairfechan, a oedd wedi cytuno i sefyll yn y bwlch dros dro wedi i'r cyn-ysgrifennydd, y Parchedig Hugh Williams, dderbyn galwad i weinidogaethu yn Rhuddlan. Roedd yna gysylltiad clòs, wrth gwrs, rhwng y Cartref a Llanfairfechan – yno yr oedd y 'Benarth' – cartref haf y plant. Bûm yn ffodus i ddilyn hen gyfaill o ddyddiau coleg yn y swydd a bu'n hynod o amyneddgar yn fy rhoi ar ben y ffordd, a bu'n gefn imi ar hyd y daith gan mai ef oedd cadeirydd y Bwrdd Llywodraethu o 1963 tan 1975. Brenhines yr aelwyd ar ddechrau fy ngyrfa oedd Mrs A. Wynn Ellis, gwraig rinweddol iawn a fu'n 'fam', neu *Miss* fel y gelwid hi gan y plant, am ddeuddeng mlynedd ar hugain. Daeth Mrs Ellis yn aelod o staff y Cartref yn fuan ar ôl ei sefydlu yn 1902 ond merch ifanc ddi-briod oedd bryd hynny, Miss A. Wynn Williams o'r Treuddyn, Sir y Fflint, a gwasanaethodd fel Metron o 1908 tan 1922. Priododd â Mr Ernest Ellis a symudodd i fyw i Birkenhead. Ar gais y Llywodraethwyr, dychwelodd yn 1944 at y gwaith a oedd mor agos at ei chalon. Bu farw ei phriod yn 1945 ond rhoddodd Mrs Ellis wasanaeth na ellir byth ei brisio hyd ei hymddeoliad yn 1962. Roedd yn ysgafnhau llawer ar waith yr ysgrifennydd gan ei bod yn adnabod pob un o'i 'phlant' ac, o'r herwydd, yn help mawr wrth drefnu eu cwrs addysg neu sicrhau gwaith iddynt. Cymerai'n ganiataol ei bod yn rhan o'm dyletswydd, fel gweinidog ac ysgrifennydd, i alw yn y Cartref o leiaf unwaith yr wythnos ac os methwn ni fyddai'n brin o f'atgoffa o'm dyletswyddau! Ni fyddai'n brin chwaith o awgrymu beth y dylwn ei ddweud wrth gyflwyno f'adroddiad blynyddol i'r Henaduriaeth!

Nid oedd angen cyfarwyddyd arnaf wrth gyflwyno fy adroddiad cyntaf i'r Henaduriaeth ac i eglwysi'r Cyfundeb. Roedd mawr angen hysbysebu'r Cartref, gan fod lleihad yn nifer y plant a oedd yn ein gofal a chynnydd yn nifer y plant amddifaid a difreintiedig yr oedd angen lloches arnynt. Y cam cyntaf i ddwyn y Cartref i sylw'r wlad oedd hysbysebu yn y gwahanol gylchgronau enwadol a'r ail gam oedd gofyn i'r Parchedig Robert Owen, Llanllyfni, baratoi stribed ffilm yn rhoi peth o hanes y Cartref a rhoi darlun o fywyd ar aelwyd naturiol Gymreig a Christionogol ei hawyrgylch. Yn ychwanegol at hynny, mentrwyd rhannu pabell gyda'r Llyfrfa (Gwasg Pantycelyn) ar faes yr Eisteddfod Genedlaethol yng Nghaernarfon, Awst 1959, a hysbysebu yn Rhaglen y Dydd. O hynny ymlaen, bu gennym babell mewn sawl Eisteddfod yn y gogledd, ac yn y de hefyd, a hysbysebwyd yn ddi-feth ym mhob Rhaglen y Dydd.

Un digwyddiad bendithiol ar lawer ystyr ar ddechrau cyfnod fy ysgrifenyddiaeth oedd caniatáu, ar delerau arbennig, gais nifer o gyfeillion lleol i blant y pentref gael defnyddio ein cae chwarae (gyferbyn â'r Cartref). Croesawyd y trefniant gan obeithio y byddai o help i gryfhau'r ewyllys da a oedd eisoes yn ffynnu rhwng y gymdogaeth â'r Cartref. Fodd bynnag, wedi rhyw bedair blynedd, daeth y trefniant i ben. Yn y cyfamser gwerthwyd Bronant a daeth cyfle i brynu darn o'r tir yr ochr uchaf i'r Cartref a'i addasu'n gae chwarae. Roedd y safle yma yn naturiol yn amgenach ac yn ddiogelach i'r plant gan nad oedd angen croesi'r ffordd fawr a'i thrafnidiaeth brysur. Bu'r cae o fudd amhrisiadwy i'r plant, a'u ffrindiau o'r pentref, i chwarae pob math o gemau, yn ogystal ag ymlacio a chymdeithasu.

Yn sicr, un o uchafbwyntiau'r cyfnod yma – 1959-62 – oedd dadorchuddio llun mewn olew o'r Parchedig Richard Thomas, un o gymwynaswyr mawr y Cartref a'r ysgrifennydd rhwng 1904 a 1945. Ef a ysgrifennodd *Cartre'r Plant*, sy'n cofnodi hanes y sefydlu a'r blynyddoedd cyntaf hyd 1945. Gwaith T. Salisbury Jones, Penmaenmawr, oedd y llun ac fe'i dadorchuddiwyd gan W. Gilbert Williams, trysorydd y Cartref o 1939 tan

1962. Yn ddiamau, bu'r Parchedig Richard Thomas yn anad neb yn gyfrwng i hyrwyddo gweledigaeth y sylfaenydd, R. B. Ellis ac i lywio gweithgareddau'r Cartref yn llwyddiannus am dros ddeugain mlynedd.

NEWID DWYLO
(Cyfnod y wardeiniaid 1962-1975)

Fel yr awgrymwyd eisoes, brenhines yr aelwyd am flynyddoedd oedd Mrs Wyn Ellis. Gwaetha'r modd, ar ôl triniaeth go fawr yn yr ysbyty yn 1959, a hithau'n tynnu ymlaen mewn dyddiau, nid oedd ei hiechyd yn caniatáu iddi barhau yn ei swydd fel arolygwr a bu rhaid cytuno gyda gofid i'w rhyddhau o'i chyfrifoldeb ddiwedd Mehefin 1962. Mewn cyfarfod o'r Llywodraethwyr a'r Pwyllgor Ymweld, wrth ollwng Mrs Ellis o'i swydd, cyflwynwyd iddi rodd ariannol deilwng, troli hwylus ar gyfer ei chartref newydd yn Wrecsam, ynghyd â phensiwn blynyddol anrhydeddus. Nid anghofir ei gwasanaeth nodedig ac ymroddedig am ddarn helaeth o'i hoes. Roedd y cyfrifoldeb yn fawr i wraig weddw, yn arbennig yn ystod ei hail dymor, 1945-62, ond bu'n deyrngar i'r Cartref a'i gofal yn ddiflino hyd y diwedd. Bu farw Mrs Ellis yn 1968, a chyflwynodd ei chwaer, Mrs Roberts, Southsea, Wrecsam, ddarlun mewn olew o waith T. Salisbury Jones yn rhodd i'r Cartref.

Yn dilyn ymddeoliad Mrs Ellis, prysurwyd i sicrhau olynydd iddi. Roedd y Bwrdd Llywodraethu a'r Pwyllgor Ymweld yn unfryd unfarn mai'r ddelfryd fyddai penodi gŵr a gwraig cymharol ifanc (o dan 45 mlwydd oed) i arolygu a gofalu am fuddiannau'r plant. Hysbysebwyd y swydd ddwywaith ond, gwaetha'r modd, er bod cymeriad pob un o'r ymgeiswyr yn ddilychwin ac er eu bod yn meddu ar lu o rinweddau ardderchog, ni theimlid bod ganddynt y cymwysterau angenrheidiol i gyflawni holl ofynion y swydd arbennig yma. Roedd hyn yn siom fawr ac yn achos cryn benbleth i'r pwyllgorau. Wedi llawer o drafod ac o ymgynghori pellach, gofynnwyd i fy mhriod a minnau ystyried derbyn y swydd, yn Wardeiniaid amser llawn, a minnau i barhau i fod yn ysgrifennydd a chyfarwyddwr. Ymarhous iawn oeddem ar y dechrau i ufuddhau i'r fath gais – cais a oedd yn golygu cryn gyfrifoldeb ac yn debygol o newid ein bywyd teuluol a chyfeiriad fy ngweinidogaeth. Efallai mai'r hyn a drodd y fantol yn y pen draw a'n hysgogi i dderbyn y swydd oedd i fy mhriod gael sicrwydd gan ein meddyg (a meddyg y Cartref), y Dr John Griffith, y byddai ef 'wrth law o hyd i wrando cri' (ac fe fu ar hyd y daith – canmil ddiolch iddo), ac i minnau gael cadarnhad o Uchel Lys y Cyfundeb bod y swydd newydd yma i'w hystyried yn 'swydd Gyfundebol' ac felly yn rhan annatod o weinidogaeth yr eglwys. Wedi'r cyfan, roedd pregethu ar y Sul yn oblygedig yn y swydd ac, yn sicr, fe fyddwn yn parhau i fugeilio a gweinidogaethu mewn modd arbennig. Felly, wedi ystyriaeth hir a dwys, cytunwyd i dderbyn y gwahoddiad ac i newid dwylo ar y dydd cyntaf o Orffennaf 1962. Ein bwriad ar y pryd oedd rhoi rhyw bum mlynedd o wasanaeth ond aeth y pump yn dair blynedd ar ddeg, blynyddoedd hapusaf a ffrwythlonaf fy ngweinidogaeth, efallai.

DIDDOSI A DODREFNU

Rhwng 1959 a 1962, ni allwn lai na sylwi wrth fynd a dod i'r Cartref bob wythnos i fugeilio ac i gadw llygaid ar bethau, ac yn ysbeidiol i bwyllgora, bod angen goleuo ychydig ar yr adeiladau o'r tu mewn. Roedd y lliwiau brown a gwyrdd tywyll ar y muriau braidd yn drwm a digalon a'r ystafelloedd byw a'r llofftydd yn galw am ychydig o foethusrwydd. Yn ffodus, roedd y pwyllgorau, yn arbennig Pwyllgor Ymweld y Chwiorydd, yr un mor frwdfrydig â ninnau i ysgafnhau ychydig ar ddelwedd yr adeiladau. O ganlyniad, wedi i chwilen yr harddu gydio go iawn yn y chwiorydd, fe ddewiswyd lliwiau anhygoel o fodern a lliwgar ar furiau a nenfwd y llofftydd a'r ystafelloedd byw – gweddnewidiwyd y ddau dŷ yn llwyr, a'r plantos yn dotio at eu haelwydydd ar eu newydd wedd. Yn unol ag addewid y Llywodraethwyr wrth inni gytuno i dderbyn y swydd o fod yn Wardeiniaid, fe roddwyd blaenoriaeth i addasu rhan o dŷ'r genethod yn fflat at ein gwasanaeth ni fel teulu bach a chwblhawyd y gwaith cyn diwedd 1962.

Cam pwysig arall yn yr un flwyddyn oedd gosod gwres canolog drwy'r ddau dŷ. Roedd hyn yn hanfodol o safbwynt cynhesrwydd a diogelwch gan ein bod bellach wedi penderfynu derbyn plant ifanc o dan oed mynychu'r ysgol ac nid oeddem yn hapus gyda thân glo mewn gratiau agored yn y ddwy ystafell gyffredin.

Roedd y blynyddoedd rhwng 1962 a 1965 yn gyfnod o wario dilyffethair ond cwbl angenrheidiol. Ailddodrefnwyd llofftydd y ddau dŷ – gwlâu newydd ac unedau amlbwrpas yn arbennig i'r genethod. Roedd yr ystafell fwyta a'r ystafelloedd byw yn y ddau dy yn hynod foel a diaddurn ond wedi inni gael byrddau modern a nifer o gadeiriau esmwyth, teledu lliw, ac ychydig fanion addurnol eraill, fe'u gweddnewidiwyd yn llwyr.

Profiad nad â'n angof oedd y tân fore Sul ym mis Mawrth 1965 a lwyr ddinistriodd lolfa'r staff yn nhŷ'r bechgyn. Trwy drugaredd, oherwydd inni ddilyn y canllawiau priodol mewn argyfwng o'r fath, (a derbyn cymeradwyaeth y Prif Swyddog Tân), nid anafwyd yr un o'r plant na'r staff.

Yn naturiol, o ganlyniad i'r llanast, bu'n rhaid gwario'n helaeth ar adnewyddu'r ystafell, a rhoi system rybuddio drwy'r holl adeiladau i'n diogelu rhag anffawd gyffelyb yn y dyfodol.

Roedd y gegin, a oedd bellach yn drigain oed, yn galw am welliannau amlwg. Gosodwyd uned sinc newydd yn lle'r hen gafn pridd a sicrhawyd nifer o gelfi i hwyluso gwaith y staff, megis peiriant golchi llestri a pheiriant golchi a sychu dillad ac, er llawenydd i'r plant (ac i'r plant hŷn!), peiriant arbennig i goginio pysgod a sglodion! Addaswyd y stôf Aga i losgi olew yn hytrach na thanwydd solat (ond yn nechrau'r saith degau, wrth ailgynllunio a moderneiddio'r gegin, fe osodwyd Aga newydd). Nid oes lle i ni sôn am yr holl welliannau a'r celfi newydd a gafwyd ond, rhwng 1962-1965, fe wariwyd oddeutu £30,000 ar ddiddosi a dodrefnu, a chredwn fod ymateb y plant bryd hynny yn cyfiawnhau'r cyfan.

TRAED DANOM AC ADDASU

Bendithiodd yr annwyl Mari Lewis, Pontrhythallt, ni ar fwy nag un achlysur â'i phersonoliaeth fyrlymus a'i chwmni diddan ond ar ôl un ymweliad, penodol, gallwn dybio, ar gyfer sgrifennu llith am y Cartref i'r *Herald*, fe'n bedyddiodd 'y teulu dedwydd'. Roedd yr enw neu'r teitl wrth fodd ein calon, oblegid dyna oedd ein nod a'n delfryd o'r dechrau – meithrin aelwyd naturiol heb arlliw o sefydliad yn perthyn iddi.

O'r cychwyn cyntaf, roedd dilladu'r plant yn bwysig yn ein golwg ac roeddem yn mynnu mai ein cyfrifoldeb ni oedd dewis gwisgoedd iddynt. Yr hen drefn oedd penodi prynwyr o blith chwiorydd da'r Pwyllgor Ymweld i wneud y gwaith a chanlyniad hynny'n fynych oedd tuedd i'r wisg fod yn unffurf. Pleser digymysg oedd mynd â'r plant i'r dref i wneud eu dewis ac weithiau teithio gyda rhai o'r plant hynaf cyn belled â Chaer a Lerpwl. Roedd y plant iau yn ddigon bodlon i siopwyr o'r dref ddod â phentwr o ddillad i'w canlyn a hwythau'n cael gwneud eu dewis ar yr aelwyd.

Roedd y teulu'n ddigon mawr, yn naturiol, i drefnu eu chwaraeon a'u hwyl eu hunain ond roedd yn bwysig iddynt gymysgu â phlant eraill ac felly rhoddwyd pob cefnogaeth iddynt ymuno â'u ffrindiau yn y pentref a'r gymdogaeth, o fewn rheswm, a chael mynd i'r dref ar ddydd Sadwrn. Cafodd y plant gyfle yn eu tro i fwynhau gwyliau'r Urdd yn Llangrannog a Glan-llyn y naill flwyddyn ar ôl y llall. Yn ogystal, daeth yn arferiad i ysgolion gyfnewid disgyblion dros dro a chafodd rhai o'r plant ymweld â llefydd fel Maes-teg, Caerdydd a'r Barri ac, wrth gwrs, deuai rhai o blant ysgolion y de i aros i'r Bontnewydd. Os cofiaf yn iawn roedd Huw Ceredig

(Reg Harris 'Pobol y Cwm') yn athro bryd hynny ym Maes-teg a bu'n cicio pêl efo'r plant ar ein cae chwarae! Cafodd rhai o'r plant gyfle i fynd efo'u hysgolion ar deithiau i'r cyfandir. Yn sicr, roedd rhoi'r math yma o ryddid i'r plant yn gymorth i ehangu eu gorwelion, i fagu hunanhyder ac i wneud ffrindiau newydd y tu allan i'r 'teulu'.

Mae plant pob oes yn hoffi cael digon i'w wneud ac felly ni fuom yn brin o annog y plant i ddilyn rhyw hobi neu'i gilydd. Fe dalodd ar ei ganfed inni gymell rhai o'r bechgyn i brynu trwydded bysgota. Treuliodd y bechgyn oriau lawer ar lannau'r Gwyrfai a chawsom ninnau wledd, fwy nag unwaith, o eog yn syth o'r afon. Rwy'n tybio i'r hogia' wneud rhyw geiniog neu ddwy hefyd!

Buom yn cadw ieir am gyfnod go faith ar ddarn o dir y tu ôl i'r hen *laundry* ac roedd wy-buarth yn achlysurol yn dderbyniol gan bawb ohonom. Pawb yn ei dro oedd y drefn i fwydo'r ieir a chasglu'r wyau. Yn rhyfedd iawn, roedd nifer yr wyau a gesglid o ddydd i ddydd yn bwysig iawn i'r casglwyr – yn wir, yn destun ymffrost yn fynych nes i ryw wag direidus osod rhyw ddwsin o wyau tegan yn y nythod a'r casglwr druan y diwrnod hwnnw wedi cynhyrfu'n lân ac yn cyhoeddi'n ymffrostgar bod yr ieir wedi dodwy'n rhyfeddol! Yr hogia' oedd yn mynychu ysgol y dref a gafodd y bai! Ond pawb yn mwynhau'r hwyl!

Yn ogystal â'r ieir roedd rhagor o stoc i'w bwydo a'u hanwesu ac yn rhan annatod o'r 'teulu'. Dyna Seimon y ci, Boxer mawr addfwyn, Siwan y gath frech, Sali'r golomen ddof a Snowi'r gwningen wen, a oedd yn ddigon diniwed i'r plant iau fedru ei thywys ar dennyn. Pob un yn cael sylw a gofal hyd at eu difetha bron. Pawb i ofalu yn ei dro oedd y drefn yn ddi-feth ymhlith y 'teulu'.

Fel 'Melin Trefin', Crwys, nid oedd yr hen dŷ golchi ers amser namyn 'dilythyren garreg goffa / o'r amseroedd difyr gynt' (os difyr hefyd!). Adeilad deulawr a helaeth oedd y tŷ golchi ac mewn cyflwr llawer rhy dda a chadarn i fod yn segur; felly, fe addaswyd y llawr isaf yn gwt i'r car modur (ac yn ddiweddarach i'r bws mini). Yn y cyfamser, trwy garedigrwydd hael un o'n caredigion, daethom yn berchen bwrdd snwcer maint llawn bron iawn, a thipyn o broblem oedd penderfynu lle i'w roi ond, wedi addasu ychydig ar yr ail lawr, fe gymerodd ei le yno yn berffaith. Ystafell sychu dillad yn y tŷ golchi oedd yr ail lawr ac yn ddigon o faint i fedru codi palis i'w rhannu'n ddwy stafell – y bwrdd snwcer nobl yn un rhan a gweithdy hwylus i ddarpar-grefftwyr yn y llall! Dyna'r hen dŷ golchi, yn wahanol i Felin Trefin, wedi cael adfywiad a dod yn gyfrwng oriau o hapusrwydd i'r 'teulu' a llu o ffrindiau!

Yn sgil addasu'r tŷ golchi, cafwyd deunydd ardderchog i godi tŷ gwydr ym mhen uchaf yr ardd. Roedd ffenestri mawr y stafell sychu'n ddelfrydol i'r pwrpas gan eu bod yn agor led y pen. O dan gyfarwyddyd cymydog o arddwr wrth ei grefft, fe gafwyd cynhaeaf toreithiog o domatos a chiwcymbrau ac rwy'n tybio i nifer go dda o'r 'teulu' fanteisio ar yr hyfforddiant.

Buan iawn y gwelwyd gwerth y cae chwarae newydd – llecyn tawel a diogel i'r plant a'u ffrindiau chwarae ac ymlacio. Yn wir, ar un adeg, gyda help un neu ddau o'r pentref, roedd gennym dîm pêl-droed addawol iawn – ambell ddarpar David Beckam ac Allan Shearer ymhlith yr un ar ddeg! Felly, pan gafwyd gwahoddiad gan athrawon ysgol gynradd Llannerch-y-medd yn Sir Fôn i fynd â'r teulu am dro i'r hen ynys, a sialens i chwarae pêl-droed yn erbyn yr ysgol (hwy, prysurwn i bwysleisio, oedd deiliaid cwpan ysgolion cynradd ynys Môn ar y pryd!), fe dderbyniwyd yn hyderus. Syndod i bawb – y sgôr: Cartref 6, Llannerch-y-medd 0! Yn ddistaw bach, roedd dau o dîm y Cartref wedi chwarae i ysgolion uwchradd (neu gyfun) Sir Gaernarfon. Derbyniwyd ail sialens, a 'Bu galed y bygylu / A'r hyrddio dewr o'r ddau du.' Ond tîm y Cartref a orfu unwaith eto, 4-2 y tro hwn. Derbyniwyd sialens neu ddwy arall ac ennill bob tro. Buom yn ddigon doeth i ymddeol tra oeddem ar y brig – yn ddiguro! Yn ddiolchgar iawn y cofiwn na wnaeth y ddwy grasfa ronyn o wahaniaeth i groeso cyfeillion Llannerch-y-medd, roedd gwledd i'r teulu i gyd – llond bws ohonom, yn ein disgwyl yn yr ysgol ar y ddau achlysur. Beth oedd cyfrinach ein llwyddiant? Yn syml, cefnogaeth fyddarol y 'teulu' ar yr ystlys!

Ni allwn byth ddiolch digon i'r genethod a oedd yn ein cynorthwyo am eu cyfraniad yn hyfforddi a diddanu'r plant. Roedd staff y gegin bob amser yn barod i roi gwersi coginio i'r genethod hynaf. Syndod y fath dalent oedd ymhlith y staff i ddysgu arlunio, gwnïo a gwau, a llu o ddiddordebau a chrefftau eraill.

Wrth edrych yn ôl, rwy'n sicr bod ymweliad y BBC â ni ar drothwy ein tymor i lunio rhaglen nodwedd am y Cartref wedi bod yn help i'r plant a ninnau glosio at ein gilydd. Rhaglen hanner awr oedd hi o dan yr enw 'O enau plant bychain', a'i hamcan oedd rhoi darlun bras o rai o weithgareddau'r plant ar yr aelwyd. Cafwyd peth trafferth wrth ffilmio gêm bêl-droed ar y cae chwarae. Gornest saith bob ochr oedd hi, Tîm 'A' a thîm 'B', a'r cynhyrchydd (y Parchedig R. Alun Evans) yn awyddus i'r ddau dîm sgorio yn eu tro. Gwaetha'r modd, roedd amddiffynnwr tîm 'A', a oedd yn digwydd chwarae i dîm cyntaf Ysgol Syr Hugh Owen yn y dref, yn anfodlon i flaenwr tîm 'B' ei basio, ac yntau'n gwybod y byddai ei ffrindiau maes o law yn gwylio'r rhaglen ar y teledu, a Chymru gyfan yn dyst i'w fethiant fel cefnwr! Yn naturiol, roedd y pwyslais ar baratoadau'r Nadolig, megis sgwennu cardiau, addurno'r goeden, a phacio anrhegion a'u postio yn y pentref. Uchafbwynt y rhaglen, fodd bynnag, oedd perfformio drama'r geni. Fy mhriod oedd yn gyfrifol am y sgript, a'r staff wedi cynllunio gwisgoedd addas, a chymdogion bythol barod wedi codi llwyfan pwrpasol ar gyfer y perfformiad. Credwn, a barnu oddi wrth sylwadau PERPEX, yn y *Caernarvon and Denbigh Herald*, Rhagfyr 31, 1965, i'r darllediad greu argraff ffafriol a rhoi darlun i'r genedl o 'deulu dedwydd'. Dyma a ddywedodd:

> *From Bontnewydd's Rev. Mr Thomas came, on Christmas morning, a plea for support every bit as powerful as Wilfred Pickles and Max Bygraves have made in other years from centres like the Great Ormond Street Hospital for sick children.*
>
> *The Bontnewydd children looked more than well cared for; they seemed to be integrated into a FAMILY under the guardianship of the Warden and his wife. Their fearlessness and easy conversation before the cameras spoke well for their training. The staging of the nativity Play was a valuable educational project and good fun besides. The allotting of a major role to a coloured boy (who clearly deserved it) struck the right Christmas note.*
>
> *On this Christmas morning showing, the Bontnewydd Children's Home is an institution we should take pride in, and visit and assist.*

Geiriau calonogol ond gwyddom inni syrthio'n fyr yn aml yn ein hymdrechion ond, wir, Mari Lewis, gwnaethom ein gorau glas i fod yn deilwng o'r enw – 'y teulu dedwydd'!

HELP LLAW A GWEINYDDU

Nid oedd bob amser yn hawdd sicrhau help llaw addas i'n cynorthwyo a buom yn brin droeon. Yn un peth, roedd yr oriau gwaith yn anghymdeithasol, y gofynion yn drwm a'r cyfrifoldeb yn fawr. Ond efallai mai'r bwgan mwyaf oedd fod y swyddi yn swyddi preswyl ac roedd hynny'n gallu creu anawsterau i rai o'r merched am resymau digon dilys. Dyna, yn ddiamau, oedd yn cyfrif mai byr fu arhosiad nifer o'r rhai a fu'n ein helpu ac, o ganlyniad, mewn cyfnod o un mlynedd ar bymtheg, bu cryn fynd a dod ymhlith y staff. Rhwng y Cartref a'r Benarth, bu o leiaf dri dwsin ar y llyfrau, gormod i'w henwi i gyd, ond mawr yw ein dyled iddynt bob un, ac yn arbennig i'r rhai oedd yn gallu aros am dymor hir, rhai o bum i wyth mlynedd. Yn naturiol, roedd hynny'n help mawr iddynt hwy a'r plant ymserchu yn ei gilydd a chreu awyrgylch teulu.

Roedd yn ofynnol inni gadw nifer go dda ar y staff. Yn un peth roedd gennym ddau dŷ, y genethod yn un a'r bechgyn yn y llall, i bwrpas cysgu yn neilltuol. Yn ogystal, trwy orchymyn y Swyddfa Gartref, roedd yna bellach ganllawiau pendant ynglŷn ag oriau gwaith ac oriau a dyddiau rhydd ac, yn sicr, roedd y genethod yn haeddu pob seibiant posibl. Ond ni fu gan neb staff mor hyblyg â'r eiddom ni – bob amser yn fwy na pharod i hepgor eu cyfnodau rhydd pan fyddai galw.

Pleser ar dro oedd croesawu myfyrwyr o wahanol golegau – myfyrwyr â gwyddor tŷ a gofal plant yn rhan o'u cwrs. Rhai'n dod yn ddyddiol a'r lleill yn fyfyrwyr preswyl am ryw dair wythnos neu fis. Roeddynt o gymorth mawr ac yn asio'n ddidrafferth i fywyd y teulu. Roedd amryw o'n staff wedi dilyn cyrsiau perthnasol i'r gwaith mewn gwahanol golegau ond roedd pob un o'r genethod, beth bynnag oedd tymor eu harhosiad, wedi graddio'n uchel mewn amynedd a chariad ac i gyd yn dod o gefndir rhagorol ac yn fwy na pharod i fynychu'r moddion ar y Sul efo'r plant.

Yn ychwanegol at y staff sefydlog, roedd gennym ddwy neu dair a ddeuai atom yn ddyddiol yn ôl y galw i helpu gyda glanhau, golchi, smwddio a mân orchwylion eraill.

Yn ogystal â chael staff dibynadwy ar hyd y daith, buom hefyd yn hynod o ffodus yn ein dirprwyon. Ein dirprwy o 1962 tan 1965 oedd Miss Ann Wynne ac, o hynny ymlaen, Mrs Jane Griffith tan 1973 (ac, yn answyddogol, tan ein hymadawiad ni yn 1975) – dwy y gallem ymddiried gofal y Cartref iddynt pan fyddem ni oddi cartref.

Diolch o galon iddynt i gyd. Mae'r atgofion yn felys am eu cyfeillgarwch, a'r orig felys yn eu cwmni bob bore yn y gegin uwch ben paned o goffi yn trafod ein gwaith ac yn rhoi'r byd yn ei le!

Yn ystod fy nhymor fel ysgrifennydd yn unig, rhwng 1959 a 1962, a Mrs Wynn Ellis yn arolygwr, roedd Miss K. Richards yn ddirprwy, ac wedi i Miss Richards ymddeol fe benodwyd Miss Pauline Williams, a ymddeolodd yr un pryd â Mrs Ellis.

Yn naturiol, roedd gennym staff yn y Benarth, Llanfairfechan, ond fe gydnabyddwn eu gwasanaeth hwy wrth inni hel atgofion am 'Y Benarth a Gwyliau'r Haf'.

Roedd yna ochr weinyddol i'r gwaith, wrth gwrs, a chan nad oedd gennym ni bencadlys fel cartrefi o dan nawdd y cynghorau sir a mudiadau fel cartrefi Dr Barnardo, a oedd yn gweithredu ar eu rhan, roedd y gwaith gweinyddol yn hawlio cyfran helaeth o'n hamser.

Y Bwrdd Llywodraethu oedd y prif weinyddwr. Byddai'r Bwrdd yn cyfarfod bob tri mis yn rheolaidd, ac yn amlach pan fyddai unrhyw fater o bwys eisiau sylw ar fyrder. Pwyllgor pwysig arall oedd y Pwyllgor Ymweld, neu Bwyllgor y Chwiorydd, a fyddai'n cyfarfod bob chwe wythnos. Dyma'r pwyllgor a fyddai'n cymeradwyo gwariant dodrefn a'r gwahanol gelfi angenrheidiol i'r ddau dŷ a rhan bwysig iawn o'i swyddogaeth (yn unol â rheoliadau'r Swyddfa Gartref) oedd trefnu bod un neu ddwy o'r aelodau yn ymweld â'r Cartref bob mis ac yn dwyn adroddiad a oedd yn berthnasol i les y plant a'r staff, ac i gyflwr yr adeiladau ac anghenion y tŷ. Buom yn ffodus i gael aelodau ar y ddau bwyllgor a oedd yn barod bob amser i ystyried pob cais rhesymol o'n heiddo ni a'r staff.

Roedd y Pwyllgorau'n atebol i Henaduriaeth Arfon ac felly roedd yn ofynnol inni gyflwyno Adroddiad o weithgareddau'r Cartref a'r sefyllfa ariannol bob blwyddyn i'r Henaduriaeth. Roedd yn rhaid i ni hefyd baratoi'r Adroddiad ar gyfer ei argraffu a'i ddosbarthu i holl eglwysi'r Cyfundeb a'n holl garedigion. Pleser a braint oedd cydnabod pob rhodd, mewn arian a nwyddau, a dderbynnid yn ystod y flwyddyn.

Er mai cartref preifat a gwirfoddol oedd Cartref Bontnewydd, roedd o dan awdurdodaeth y Swyddfa Gartref ac felly roedd Arolygwr o'r Swyddfa yng Nghaerdydd yn ymweld â ni yn swyddogol bob blwyddyn. Byddai'n cymdeithasu â'r plant a'r staff ac yn archwilio'r llyfrau perthnasol, megis llyfr cofnodion y Pwyllgor Ymweld, llyfr y fwydlen ddyddiol, y llyfr meddygol, a'r llyfr ymwelwyr. Amcan hyn, wrth gwrs, oedd sicrhau bod y plant yn cael chwarae teg. Pleser yw datgan nad oedd gan yr Arolygwr ond y gair gorau am y Cartref a'r staff bob amser; yn wir, awgrymodd fod ein Cartref gyda'r gorau yn y wlad.

Yn naturiol, roedd baich trymaf y gweinyddu yn disgyn ar ysgwyddau'r trysorydd a'r ysgrifennydd. Swydd fygedol oedd swydd y trysorydd ar hyd y blynyddoedd a'r trysorydd cyntaf y bûm i'n cydweithio ag ef oedd W. Gilbert Williams, Rhostryfan, a fuasai wrth y gwaith ers 1939. Wedi ei ymddiswyddiad ef yn 1962, cymerodd J. Eryri Jones, Bangor, at y gwaith a gweithredodd tan 1968. Dau gyfaill abl iawn a roddodd flynyddoedd o wasanaeth i'r Cartref ac mae ein dyled yn fawr iawn iddynt. Fodd bynnag, o hynny ymlaen hyd at derfyn fy nhymor, 'fy mrawd a'm cydweithiwr', fel y dywedodd yr Apostol Paul am Epaphroditus, oedd Bryan J. Jones, blaenor yn eglwys Glanrhyd a chyfrifydd siartredig wrth ei alwedigaeth. Roedd hi'n ddydd o lawen chwedl yn ein mysg pan gytunodd ef i weithredu fel ein trysorydd, a bellach mae wedi bod wrth y gwaith am ddeuddeng mlynedd ar hugain, ac yn dal ati. Bu arweiniad Bryan Jones i hyrwyddo gwaith y Cartref yn ddiogel ar hyd y blynyddoedd a phleser fu cydweithio â chyfaill mor hynaws a siriol ei natur

Mae ein dyled a'n diolch yn fawr i'r Mri A. Hughes Jones, Dyson and Co., hefyd, am archwilio'r llyfrau am flynyddoedd lawer.

Teg, hefyd, yw imi gydnabod bod fy mhriod, yn ychwanegol at ei gorchwylion ei hun, yn rhannu llawer iawn o'r gwaith gweinyddu yn ogystal. Yn ffodus, roedd wedi derbyn hyfforddiant mewn coleg busnes ac yn meddu ar y cymwysterau angenrheidiol i gadw cyfrifon, teipio, ac i gyflawni amrywiol ofynion swyddfa; o ganlyniad, bu o gymorth amhrisiadwy imi ar hyd y daith.

CENHADU A THALU'N FFORDD

Mae'n rhaid cyfaddef nad oedd yn hawdd cael y ddau ben llinyn ynghyd tua chanol y chwe degau ac roedd rhaid inni genhadu os am lwyddo a thalu'r ffordd. Roedd amryw o eglwysi wedi dangos diddordeb yn y stribed ffilm a baratowyd yn 1960 gan y Parchedig Robert Owen, Llanllyfni, a bu hynny'n ysgogiad inni ystyried y dull yma o ddwyn y Cartref i sylw'r genedl. Gyda hyn mewn golwg, buddsoddwyd mewn taflunydd a sgrîn a chamera go dda a hysbyswyd yn yr Adroddiad Blynyddol fod y Warden yn barod i ystyried ceisiadau i ymweld â gwahanol fudiadau i ddangos sleidiau lliw a fyddai'n rhoi rhyw gipolwg o fywyd y teulu o ddydd i ddydd. Bu'r ymateb yn syfrdanol a'r gwahoddiadau'n llifo oddi wrth eglwysi o bob enwad, ac iaith, o'r gogledd a'r de, a thros Glawdd Offa, oddi wrth ysgolion a cholegau, oddi wrth fudiadau megis ffermwyr ifanc ac aelwydydd yr Urdd, oddi wrth sefydliadau fel Merched y Wawr a'r *W.I.*, ac amrywiol gymdeithasau eraill.

Cawsom gyfle hefyd i annerch Henaduriaethau a Sasiynau yn y gogledd, y de a'r dwyrain. Coffa da am Sasiwn y Dwyrain. Ar y pryd (oddeutu 1966), roeddwn yn berchen Jaguar 3.4 – breuddwyd o gar mawr, pwerus! Prynais ef yn ail law am bris eithaf rhesymol (ar argymhelliad y Llywodraethwyr, rwy'n prysuro i ddweud, er mwyn cario'r plant i lan y môr a mannau eraill – nid oedd sôn am y bws mini yr adeg honno). Yn Wiston, Sir Benfro, y cynhelid y Sasiwn, capel yng nghanol y wlad, a'r Llywydd oedd y Parchedig Christmas Jones, Lerpwl. Cefais gryn drafferth i ddod o hyd i'r capel ac ni allwn weld maes parcio yn unman. Yn ffodus, roedd y Llywydd yn sefyll y tu allan i'r capel yn ei glogyn du, swyddogol, a holais (gan dybio'n sicr mai Sais oedd Llywydd Sasiwn y Dwyrain): *'Excuse me, Mr Moderator, where can I park the car?'* Ac meddai mewn Cymraeg croyw 'Dos â dy Jaguar o'r golwg y tu ôl i'r goeden yna ne' chei di'r un geiniog tuag at Gartref Bontnewydd'! Daeth dyddiau Christmas Jones i ben yn ein Cartref Henoed yng Ngorffwysfa, Pwllheli, a phob tro y byddwn yn ymweld â'r Cartref, byddai'n rhaid i'r Parchedig adrodd stori'r 'Jaguar' wrth y byd a'r betws!

Yn ychwanegol at y 'sgwrs a'r sleid', bu gweledigaeth y Parchedig Gareth Maelor (Abersoch bryd hynny) yn 1965 i gynllunio a gwerthu Cardiau

Nadolig er budd y Cartref yn hwb aruthrol i ddwyn amcanion ac anghenion y Cartref i sylw'r wlad ac i wneud elw sylweddol yn ogystal. Am ddeng mlynedd, tra buom ni wrth y llyw, trefnodd Gareth Maelor i arlunwyr o fri gynllunio cardiau penodol i'r Cartref ac erbyn Nadolig 1974 roedd y gwerthiant wedi cyrraedd 120,000. Fel rheol, byddai gwerthiant y cardiau yn dechrau ar faes yr Eisteddfod Genedlaethol ym mis Awst. Roeddem wedi rhannu cornel o babell y Cyfundeb ers Eisteddfod Caernarfon yn 1959 ond erbyn Eisteddfod Llandudno yn 1963 roeddem yn llogi pabell ddwbl ein hunain i dynnu sylw at ein bodolaeth ac i arddangos ein gweithgareddau trwy gyfrwng lluniau ac ati – stondin ardderchog i werthu ein cardiau ac i siarad a chroesawu llu o'n caredigion o bob cwr o Gymru. Buom yn codi pabell ym mhob Eisteddfod yn y gogledd o 1963 tan 1975. Dwywaith yr aethom cyn belled â'r de, sef Abertawe a'r Barri, ond roeddem yn hysbysebu ym mhob Rhaglen y Dydd yn ddi-feth, a'n slogan bob amser ym mha gylchgrawn bynnag y byddem yn hysbysebu oedd 'Y Cartref sy'n dibynnu arnoch chwi'. Wedi cael cychwyn da gyda gwerthiant y cardiau yn yr Eisteddfod, byddai'r cyfnod o'r Diolchgarwch tan y Nadolig fel ffatri yn y Cartref a phawb, y plant a'r staff, yn helpu. Nid gwaith hawdd oedd delio â'r holl archebion a phacio a dosbarthu'r holl filoedd o gardiau ond roeddem yn llwyddo'n rhyfeddol bob tro.

Bu'n rhaid wynebu un broblem fechan yn 1974. Canfu ein Trysorydd fod yr elw o werthiant y Cardiau Nadolig yn drethadwy ac mai'r unig ddrws ymwared oedd ffurfio cwmni, a chyda'i drylwyredd arferol fe wnaeth Mr Bryan Jones y gwaith angenrheidiol a ffurfio 'Cwmni Cardiau Nadolig Cartref Bontnewydd'.

Trwy garedigrwydd y BBC, cawsom fwy nag un cyfle i wneud apêl ar ran y Cartref ar y radio a'r teledu. Cawsom dri o wŷr amlwg i apelio ar y radio, sef Dr Griffith Evans, y Parchedig William Morris a Mr Lyn Howell ac, ar y teledu, Goronwy Roberts, A.S. (yr Arglwydd Goronwy yn ddiweddarach). Bu'r pedair apêl yn llwyddiant mawr nid yn unig i chwyddo'r coffrau ond i gadw'r Cartref o flaen llygaid y genedl.

Canlyniad hyn i gyd oedd inni weld cynnydd yn nifer y plant a ymddiriedwyd i'n gofal. Roedd cydweithio hapus rhyngom a'r Gwasanaethau Cymdeithasol. Hefyd, bu'r cynnydd ariannol yn aruthrol. Bellach, roedd eglwysi pob Henaduriaeth, ledled Cymru, yn cyfrannu'n hael. Roedd cefnogaeth y gwahanol gymdeithasau a sefydliadau, ac unigolion, yn amlycach nag erioed o'r blaen. Yn ogystal â hynny, cawsom arian sylweddol iawn drwy ewyllysiau llu o gyfeillion a gwelodd teuluoedd yn dda i drefnu rhoddion yn lle blodau er cof am eu hanwyliaid.

Pan ymgymerodd Bryan Jones â swydd y Trysorydd yn 1968, roedd y

Cartref mewn dyled ond, trwy ein hymdrechion cenhadol, a thrwy weledigaeth ein Trysorydd ac un neu ddau o'r Llywodraethwyr, a oedd yn hyddysg yn y byd ariannol ac yn gallu trefnu ac addasu ein buddsoddiadau yn ddoeth, dechreuodd y llong nofio'n ddiogel. Erbyn dechrau'r saith degau, roedd y Trysorydd yn medru cyhoeddi bod y sefyllfa ariannol yn iach.

HWYL A SBRI'R DAITH – Y NADOLIG

Wedi dros chwarter canrif, erys yr atgofion am y Nadolig yn y Cartref yn fyw ac yn felys. Cawsom dri Nadolig ar ddeg i gyd ac roedd pob un yn arbennig am wahanol resymau. Yn un peth, roedd y teulu'n amrywio o un Nadolig i'r llall, rhai o'r plant wedi ymadael a rhai wedi dod o'r newydd, ac weithiau roedd hynny'n wir am y staff. O ganlyniad, roedd amryw'n blasu am y tro cyntaf hwyl a sbri y profiad o fod yn rhan o deulu mawr ar y Nadolig. Dyna ein profiad ni ar ein Nadolig cyntaf – roedd yn dipyn o her paratoi ar gyfer rhyw ddeg ar hugain o blant a ninnau wedi arfer canolbwyntio ar un!

Roedd adwaith y plant i garedigrwydd ac ewyllys da cyfeillion o bell ac agos yn foddion gras y naill flwyddyn ar ôl y llall. O ddechrau mis Rhagfyr hyd at hanner nos noswyl y Nadolig bron, roedd unigolion a chynrychiolwyr eglwysi a sefydliadau o bob math yn galw gydag anrhegion, danteithion ac arian. Nid wyf yn cofio inni erioed orfod prynu aderyn at y 'Dolig, roedd dau neu dri twrci nobl yn cyrraedd y gegin yn ddifeth a'r plant wrth eu bodd yn helpu'r staff i baratoi'r wledd. Ni allwn ond diolch a rhyfeddu at y fath haelioni a oedd yn sicrhau Nadolig dedwydd i bawb o'r teulu.

Roedd y Nadolig yn y Cartref yn dechrau'n syth ar ôl troi'r cloc ym mis Hydref. Byddai'r plant a'r staff yn ymroi ati i wneud addurniadau ac, yn ddiweddarach, yn addurno'r goeden fawr a oedd yn rhodd flynyddol gan un o'n llu cymwynaswyr. Roedd y plant iau yn cael hwyl a phleser yn sgwennu pwt o lythyr at Siôn Corn ac yn archebu'n afradlon! A'n pleser ni oedd gofalu nad oedd yr hen Siôn yn eu siomi – cyhyd ag yr oedd hynny'n bosibl! Câi'r plant hŷn sibrwd eu dewis hwy yn ddistaw bach. Wrth edrych yn ôl, efallai mai'r hyn a oedd yn rhoi'r pleser mwyaf i ni oedd rhoi ambell syrpreis i'r plant – pethau nad oeddynt wedi eu blysio.

Ar noswyl y Nadolig, nid anodd oedd cael y plant i'w gwlâu ac rwy'n tybio bod y staff yr un mor chwilfrydig â'r plant wrth osod y 'sanau wrth droed pob gwely – hosan, gyda llaw, oedd clustog *(pillow case)*. Nid oedd clustog hyd yn oed yn llawn digon ac felly roedd yna focs mawr ar gyfer pob plentyn, a phawb yn gwarchod ei glustog a'i focs fore trannoeth gyda gofal mawr. Roedd gan fy mhriod ryw gred nad oedd 'Dolig yn 'Ddolig heb swn rhyw offeryn cerdd – corn, drwm, ffliwt – rhywbeth i wneud sŵn (gyda llaw, mae'n dal yr un fath pan fyddwn yn treulio'r Nadolig gyda'n wyresau!). O ganlyniad, cyn codi cŵn Caer, byddai sŵn y miwsig rhyfeddaf yn dod o ystafelloedd cysgu'r ddau dŷ, tŷ'r genethod a thy'r bechgyn, a'r staff druan yn gorfod codi ond eto'n eu mwynhau eu hunain yn iawn. Nid anghofiwn tra byddwn byw wynebau llawen y plant yng nghanol eu teganau ac nid anghofiwn chwaith eu diolch a'u gwerthfawrogiad.

Yn union ar ôl brecwast, byddem yn rhoi sylw i wir neges yr Ŵyl – darllen o'r Gair, gweddi fer a charol. Cyfle wedyn, wrth gwrs, i chwarae efo'r anrhegion newydd ac, os byddai'n sych, rhoi tro i'r cae chwarae, yr hogia' i gicio pêl-droed yn eu *togs* newydd – *Everton, Lerpwl* a *Manchester United* gan amlaf, a'r genod yn mynd â'u doliau am dro yn eu *prams* newydd. Roedd y staff druan yn chwysu yn y gegin ac uchafbwynt y diwrnod, yn naturiol, oedd y cinio bendigedig, tynnu'r *crackers* a gwisgo capiau lliw a doedd neb yn ofni gofyn am ail blatiad, a thrydydd weithiau!

Ar ôl cinio, byddai Siôn Corn yn galw am yr eildro, y tro yma i ddosbarthu anrhegion oddi wrth berthnasau'r plant ac, wrth reswm, roedd gwerth arbennig i'r rheini. Wedi hynny, rhagor o gemau cyn eistedd i lawr i fwynhau te traddodiadol y 'Dolig – jeli a threiffl, mins peis a chacen 'Dolig fawr a lliwgar. Yn dilyn y te, gwylio'r teledu am ychydig ac rwy'n sicr bod llawer gwell rhaglenni Nadolig bryd hynny. Ar ôl swper ysgafn, roedd pawb, fel rheol, yn barod am y gwely – ar ôl codi'n fore a chael diwrnod prysur, roedd cwsg yn hynod felys.

Diolch am atgofion diangof y Nadolig! 'Pe bawn i'n artist, mi dynnwn lun,' meddai T. Rowland Hughes; pe bawn innau'n fardd, mi ganwn Salm o ddiolchgarwch i'n holl garedigion am eu haelioni mawr ac i'n staff ymroddgar am eu cymorth bob amser, ac i'n holl blant am ein cadw'n fythol ifanc.

Y BENARTH A GWYLIAU'R HAF

Cartref gwyliau i'r plant oedd y Benarth yn benodol ond mae'n debyg y bu adeg rhwng y ddau ryfel byd, pan nad oedd lle yn y Cartref, y bu'n rhaid anfon nifer o'r plant i'r Benarth. Wynebwyd ni â sefyllfa gyffelyb yn 1967. Erbyn hynny, roedd deg ar hugain o blant dan ein gofal – gymaint ag a ganiateid yn ôl rheolau'r Swyddfa Gartref. Yn ogystal â hynny, roedd galw mawr am loches i blant dros dro. I gyfarfod â'r angen mawr yma, gwariwyd yn helaeth i addasu'r Benarth yn unol â gofynion y Swyddfa Gartref a chafwyd trwydded i gymryd hyd at ddeuddeg o blant yno. Yn achlysurol, byddai ein cenhadon o'r India yn cael treulio eu seibiant yn y Benarth ond nid oedd angen trefniant o'r fath mwyach gan fod Bwrdd y Genhadaeth wedi prynu tŷ yn Lerpwl i'r pwrpas hwnnw, a'r ffordd yn glir, felly, inni osod plant yn ein hafoty am ran helaeth o'r flwyddyn.

Mrs E. M. Williams a fu'n gwarchod y Benarth ar ein rhan ers blynyddoedd ac roedd ei phersonoliaeth gadarn hi a'i natur addfwyn a charedig yn gymwysterau delfrydol i ofalu am y gwaith. Er llawenydd inni, fe gytunodd Mrs Williams i fod yn Arolygwr yn y Benarth. Gwaetha'r modd, wedi prin ddwy flynedd, bu'n rhaid dygymod â'r golled fawr a gawsom ym marwolaeth ddisyfyd Mrs Williams. Ni allwn ond diolch iddi am osod i lawr sylfeini cartref gwir grefyddol yn y Benarth a hynny mewn byr amser. Cytunodd Miss Jean Davies, a oedd wedi symud o'r Cartref i'w chynorthwyo, i sefyll yn y bwlch a bu hi'n arolygu'r gwaith gydag ymroddiad am yn agos i flwyddyn cyn dychwelyd i'r Cartref.

Nid gwaith hawdd oedd cael Arolygwr sefydlog i'r Benarth. Yn 1969, ymgymerodd Mr a Mrs David Roberts â'r swydd ac er mai byr fu eu tymor, diolchwn iddynt am eu gwasanaeth abl iawn. Yn 1970, buom yn ffodus i sicrhau gwasanaeth Mrs Mair Roberts ac arhosodd hi yn y swydd tan ddiwedd ein tymor ni yn 1975 ac ymlaen wedyn nes daeth perthynas y Cartref â'r Benarth i ben. Ni bu neb haws cydweithio â hi na Mrs Roberts ac fe gyflawnodd holl ofynion ei swydd fel Arolygwr gyda medr a chariad a sirioldeb. Mawr yw ein dyled iddi hi a'i diweddar briod, Mr Lewis Roberts.

Yn fuan wedi'r Sulgwyn byddai'n amser inni hel ein pac a pharatoi i fudo dros wyliau'r haf i'n hafoty yn Llanfairfechan. Mae'n rhaid cyfaddef mai lle i wibio drwyddo ar ein ffordd i Landudno neu Gaer fu Llanfairfechan i ni erioed. Yn wir, dyna ddisgrifiad Alun Llywelyn Williams o'r lle yn *Crwydro Arfon*: 'Does dim yn Llanfairfechan ei hun yn hawlio sylw yn arbennig, am a wn i, er y gall y dref fach glan y môr hon gynnig deniadau lawer na welir monynt o'r stryd hirgul y cyfyngir y briffordd iddi.' Mwy, o bosib, nag a feddyliodd yr awdur. Roedd yno siopau dengar a diddorol, digon o gabanau diod a hufen iâ, lawnt fowlio a chwrt tenis, ffau lladron unfraich i hudo'r diniwed ond, i'n denu ni, roedd dwy dafarn datws a hyd yn oed, ar un adeg, hen bictiwrs bach fel 'hen bictiwrs bach y Borth' ers talwm.

Roedd i'r 'dref fach glan y môr hon' gymeriad yn ogystal, ac agosatrwydd, a llawer o ewyllys da tuag at blant y Cartref, sy'n 'aros fel hen win'. Yn nhraddodiad Sasiwn a Chymanfa, roeddem ninnau'n mwynhau 'Te Croeso' ar ein dyfodiad i'r Benarth – diolch i haelioni a charedigrwydd Ysgol Sul y Nant, cangen o gapel Horeb, parti i'w gofio a gwibdaith yn ei sgil fel rheol.

Mae'n debyg bod gwell traethau yn Llandudno a'r Rhyl ond roedd glan y môr Llanfairfechan yn ateb y diben yn iawn i ni. Pan fyddai'n drai, roedd digon o dywod melyn a llecynnau diogel i ymdrochi a phan fyddai'r haul o dan gwmwl roedd y traeth gyda'i fân greigiau yn ddelfrydol i hel crancod! O fewn tafliad carreg i'r traeth, roedd y 'cae swings' a darn o dir comin a oedd yn addas iawn i chwarae criced neu bêl-droed, a chan ein bod yn dylwyth go fawr nid oedd anhawster i gael dau dîm cymysg (genethod a bechgyn) ac eilyddion, a dyfarnwr!

Nid atyniadau glan y môr yn unig oedd yn denu; roedd y mynydd yn gwahodd yn ogystal – wedi'r cyfan, treflan wrth odre'r mynydd yw Llanfairfechan ac roedd gennym ninnau, fel Cymdeithas Edward Llwyd, ein teithiau. Un siwrnai ddiddorol oedd crwydro hyd lethrau'r mynydd i olwg rhaeadr Aber. Byddai'r plant hynaf wrth eu bodd yn cerdded dros y mynydd drwy'r bwlch i Ro-wen, yna teithio ar y bws i Gonwy, aros i gael te yn yr hen dref hynafol, gwylio ffilm yn y sinema leol, ac yna troi tuag adref – ar y bws, wrth gwrs! Hwyrach mai'r daith fwyaf poblogaidd oedd hamddena i gyfeiriad Cwm Eigiau ac ymdroi ar lan llyn cronfa ddŵr Anafon i fwynhau picnic. Yr hwyl ar y ffordd adref oedd loetran ar ochr y mynydd i hel llus, pawb am y gora' i lenwi ei dun bwyd, mwy na digon i'r teulu i gyd, maes o law, i flasu a mwynhau cacen lus a hufen.

Wedi inni brynu bws mini yn nechrau'r saith degau, fe newidiodd patrwm ein gwyliau beth ond stori a phennod arall yw honno.

Diolch am bob diwrnod heulog a gawsom yn ystod ein gwyliau yn y Benarth ar hyd y blynyddoedd a diolch, hefyd, pan dywalltai'r glaw, am *Ludo, Snakes and Ladders* a *Monopoly*, am lyfrau paentio, a theledu, a chanmil diolch am staff amyneddgar a goddefgar!

CYMOWTA A CHROESAWU YMWELWYR

Mae gennym ffrindiau sy'n ein gwahodd i fynd hefo nhw yn achlysurol am wibdaith – ffordd hwyliog ein ffrindiau, rwy'n prysuro i ddweud, o roi cynnig inni i fynd ar drip neu siwrnai bleserus neu, fel y byddem yn arfer ei ddweud gartref, mynd i gymowta! Mae caredigrwydd ein ffrindiau yn ein hatgoffa'n ddi-feth o'n mynych gymowta yn y Cartref pan fyddai ffrindiau di-rif yn trefnu teithiau o bob math er ein budd. Roedd cylch ein ffrindiau yn eang ac amrywiol, gan gynnwys eglwysi a chymdeithasau, sefydliadau o bob math, ffrindiau iau o ysgolion a cholegau, clybiau a mudiadau ieuenctid a llu o unigolion. Roedd natur y teithiau'n amrywio, hefyd – rhai yn dripiau addysgiadol ac eraill yn dripiau pleser. Mae'r rhestr yn rhy faith i'w nodi i gyd ond ymysg y teithiau addysgiadol roedd gorsaf ynni'r Wylfa, Sir Fôn, gorsaf ynni Stwlan, Tanygrisiau, Castell Coch Powys a Chastell Harlech, a'r llong fferi *Hibernia*, Caergybi. Ymysg y teithiau pleser, roedd Sw Caer a Bae Colwyn, ffair bleser Southport a Blackpool, ac enwi ond ychydig. Maddeuwch un gair bach i'm brodyr yn y Weinidogaeth yn arbennig. Mae Shakespeare yn sôn am 'Sermons in Stones' (yn *As you like it*). Wel, dyma i chi bregeth yn syth o ffair bleser Blackpool! Uwchben llawr rasio'r ceir bach osgoi (os dyna'r cyfieithiad cywir o *dodgems* neu *bumping cars*), roedd rhybudd mewn 'llythrennau eglur clir', '*If you must bump, bump gently*'. Gwnewch chi a fynnoch o'r ddameg ond y neges i mi oedd – os oes rhaid disgyblu, gwnewch hynny'n dyner a rhesymol – *bump gently*. Nid oes hawlfraint!

O bryd i'w gilydd, wrth gwrs, byddem yn cymowta ar ein liwt ein hunain gan fod gennym gronfa 'Cysuron y Plant' wedi ei neilltuo i'r pwrpas. Un siwrnai flynyddol boblogaidd iawn oedd trip i Lerpwl cyn y Nadolig. Roedd yn gyfle i'r plant weld goleuadau Nadoligaidd y ddinas a gwneud ychydig o siopa yr un pryd. Ond y prif atyniad i'r bechgyn oedd ymweld â Goodison Park i wylio Everton yn chwarae. Byddem yn archebu seddau cadw ymlaen llaw ac, yn wir, ar ôl cefnogi'r clwb am dair blynedd ar ddeg, fe gawsom bêl yn anrheg yn ystod ein hymweliad olaf, wedi ei harwyddo gan sêr y tîm pan oeddynt yn bencampwyr ac yn enillwyr cwpan yr *F.A.*

Un flwyddyn, fe aeth mor ddiweddar â'r Sadwrn cyn y Nadolig arnom yn trefnu'r daith ac, wrth reswm, roedd miloedd lawer wedi teithio i'r ddinas y diwrnod hwnnw. Yn naturiol, roedd rhai o'r bechgyn lleiaf yn ofnus yng nghanol y fath dyrfa. Wrth inni ymlwybro fel neidr i gyfeiriad Everton, a phawb yn gafael fel cranc ym mreichiau ei gilydd, dyma'r agosaf ataf yn dweud gyda syndod mawr 'lot o Saeson yma, yn does'!

Gan fod rhyw ddau neu dri o'r bechgyn hynaf yn cefnogi Manchester United, fe fûm unwaith yn Old Trafford'. Fûm i erioed, rwy'n pwysleisio, yn Anfield!

Mae yna duedd ynom ni i gyd, on'd oes, i gadw'r tamaid mwyaf blasus tan y diwedd, dyna pam rwyf yn cloi ein hatgofion am ein cymowta gyda hanes ein trip cyntaf. Wythnos union wedi inni symud i'r Cartref, gwawriodd diwrnod trip Ysgol Sul y capel, a dyna ein bwrw i'r dwfn yn ddiseremoni! Tipyn o newid. Rhiaint un plentyn yn cymryd y cyfrifoldeb o ofalu am bump ar hugain! Yn ystod y dydd, bûm yn ddigon hael fy nghalon, neu ddiniwed, i gynnig mynd â'r bechgyn i lan y môr a rhoi cyfle i'r merched hamddena o gwmpas y siopau. Wedi pnawn digon didrafferth, y plant yn trochi eu traed a chwarae ar y tywod, daeth yn amser i wisgo a chychwyn i gadw oed gyda'r genethod yn y dref. Nid gwaith hawdd yw gwthio'ch troed i hosan ar ôl bod yn y môr a chwarae yn y tywod, ac yn reddfol megis, dyma Iolo, ein mab naw oed, yn gofyn 'Wnewch chi fy helpu fi, dad'. Er syndod imi, dyma un arall o'r bechgyn yn ei ddilyn yn syth, 'a finna, dad' (cofiwch, ni fu 'tad' yn y Cartref ers blynyddoedd), un arall wedyn, ac wedyn, ac wedyn gyda'r un cais, a phan ddaeth y deuddegfed a gofyn 'a finna, dad', roedd un neu ddau o'r ymwelwyr cyfagos yn edrych braidd yn amheus arnaf, yn arbennig dwy foneddiges a oedd yn eistedd gerllaw ac yn cymryd cryn ddiddordeb ynom. Ychydig cyn y Nadolig y flwyddyn honno, 1962, daeth y ddwy i gysylltiad â ni – wedi holi a deall rywsut neu'i gilydd mai plant Cartref Bontnewydd oedd y teulu mawr ar y traeth y diwrnod hwnnw, ac fel aelodau o un o'n heglwysi yn Henaduriaeth *West Glamorgan*, roeddent yn awyddus i gefnogi'r Cartref. Roedd eu rhodd yn un hael iawn ac ni phallodd eu cefnogaeth na chefnogaeth eu heglwys drwy gydol y blynyddoedd. Dyna fy llwyddiant cyntaf fel cenhadwr!

Sut i ddiolch am y fath haelioni? Amhosibl, a dweud y gwir, ond gallwn sicrhau ein holl ffrindiau, fel y buasai ein cyfeillion yn y de yn dweud, inni 'joio ma's draw'!

Yn achlysurol, fe fyddem ninnau'n cael cyfle i groesawu ymwelwyr i'r Cartref, a chwarae teg i'r plant, er eu bod wrth eu bodd yn cymowta, roeddent yr un mor hapus yn estyn croeso i bawb a fyddai'n galw i'n gweld ar yr aelwyd, boed yr ymwelwyr yn unigolion neu'n bartïon. Ar y cyfan, pobl o'r un anian oeddent ac yn cynrychioli'r un categorïau o gymwynaswyr â'r rhai a fyddai'n trefnu ein teithiau. Ni fyddent byth yn dod yn waglaw. Deuai rhai yn llwythog o anrhegion, eraill yn dod â chyflawnder o fwyd i'w canlyn – digon i borthi'r pum mil. Dod yn unswydd i'n diddanu fyddai amryw. Roedd hynny, efallai, yn nodweddiadol o'n hymwelwyr iau. Roeddem eisoes wedi sylwi yn ystod rhai o'n tripiau bod gan yr ifanc ddoniau arbennig i gyfathrebu â'r plant a'u diddanu mewn ffyrdd amrywiol a gwreiddiol. O ganlyniad, roedd y plant yn edrych ymlaen yn eiddgar pan fyddai criw o bobl ifanc yn ymweld â'r Cartref. Yr adloniant a fyddai penllanw'r noson!

Byddai'r staff yn ddirwgnach iawn yn paratoi lluniaeth ysgafn ar gyfer ein gwesteion, a'r plant, yn enwedig y genethod, yn falch o gael gweini, ac yn gwneud ffrindiau ar unwaith ac, yn bwysicach na dim, efallai, yn tyfu mewn hyder ac aeddfedrwydd.

Ni allwn ymatal rhag cyfeirio at ymweliad Arglwydd Faer Caerdydd a'r Faeres, oherwydd yr argraff a wnaeth y Cartref arnynt, a'u sylwadau caredig: *'What I have seen today is not an insitution but a home, and the relationship between the children and the staff testifies to much love and care. The Lady Mayoress and myself will look back on this visit to Bontnewydd as the highlight of our tour'.* Gyda llaw, teithiai'r Arglwydd Faer a'i osgordd mewn Rolls Royce. Ar eu ffordd adref o'r ysgol, fe sylwodd y plant ar y cerbyd moethus wedi ei barcio o flaen y ty, a thybio'n syth ein bod ni wedi cael car newydd a bod gobaith teithio mewn steil mwyach! Y fath siom!

TUA PHEN Y DAITH – GWIREDDU BREUDDWYDION

Am ddeng mlynedd, buom yn breuddwydio am gael bws mini. Nid nad oedd pawb yn cytuno bod angen amgenach trafnidiaeth arnom na'r *Jaguar 3.4*, o felys goffadwriaeth, ond roedd addurno a diddosi'r adeiladau yn y chwe degau yn hawlio blaenoriaeth. Erbyn dechrau'r saith degau, roedd y sefyllfa ariannol yn bur foddhaol ac nid oedd dim mwyach yn ein rhwystro rhag codi Cronfa Bws Mini. Ni fu'n rhaid inni ond rhoi rhyw awgrym cynnil hwnt ac yma ar lafar ac mewn print ac fe ddechreuodd rhoddion hael iawn lifo o bob cyfeiriad, ac erbyn 1972 roedd gennym fwy na digon i brynu bws a'i gynnal am amser maith. Mae'n rhaid cyfaddef bod cwpan llawenydd y plant a ninnau yn llawn ac rwy'n tybio bod y gymdogaeth a chylch eang ein ffrindiau yn cydlawenhau gyda ni. O leiaf, dyna'r argraff a gaem wrth deithio yn y bws lliw mwstard, a'r plant gyda rhyw falchder heintus yn chwifio'u dwylo, yn union fel y frenhines, i gydnabod eu ffrindiau wrth wibio drwy'r fro!

Roedd y bws yn un amlbwrpas. Ei bwrpas (y 'fo' ydi bws a motolwynion i mi, gyda phob dyledus barch i bawb sy'n eu galw'n 'hi') yn anad dim arall, wrth reswm, oedd cludo'r plant fel y byddai'r galw: i'r ysgol ar ddyddiau gwlyb neu i'r siop, ac weithiau i lan y môr, ac ambell waith am ryw dro bach fin hwyr ar noson braf o haf. Ond roedd y bws hefyd wedi ei gynllunio inni fedru darparu lluniaeth ynddo. Roedd iddo guddfannau a chilfannau i gadw llestri, bwrdd a stôf nwy hwylus a'r celfi angenrheidiol i goginio. Nid oes rhaid dweud bod paratoi pryd o fwyd yn y bws a'i fwyta yn yr awyr agored yn tra rhagori ar unrhyw bryd mewn bwyty pum seren i'r plantos! Beth mewn difri a all fod yn well na loetran ar lethrau Uwchmynydd yng ngolwg Ynys Enlli yn mwynhau selsig a ffa pob ac *Ambrosia Creamed Rice*? Neu brofi'r tangnefedd sydd ar Ynys Llanddwyn yn Sir Fôn, neu'n rhodianna yng nghysgod y morglawdd yng Nghaergybi yn gwylio'r llongau'n mynd a dod. Beth a all ynysoedd y Bahamas ei gynnig sy'n rhagori ar ymdroi ar y creigiau ym Mhenmon, yn sŵn hen gloch y goleudy ac yn anadlu gwynt y môr yn gymysg ag arogl cig moch ac wyau'n ffrio?

Nefoedd ar y ddaear!

Yn ddi-os, pan brynwyd y bws mini, fe newidiwyd holl batrwm y gwyliau, yn arbennig gwyliau'r haf yn y Benarth, ac fe aeth pob dydd Sadwrn bron yn ddiwrnod trip. Rwy'n credu bod y plant wedi synhwyro bod y bws a minnau yn dipyn o ffrindiau ac nad oedd eisiau llawer o berswâd arnaf i neidio y tu ôl i'r olwyn – o leiaf, dyna'r unig esboniad, am a wn i, eu bod mor ofnadwy o hyderus a hyf ambell Sadwrn yn holi ben bore, 'Lle 'dan ni'n mynd efo'r bws heddiw?'!

Gwireddwyd breuddwyd yn sicr pan gafwyd y bws mini. Cafwyd llawer iawn o bleser a bu'r bws yn gyfrwng i addysgu llawer ar y plant a'u hatgoffa o hanes rhai ardaloedd o bwys yng ngogledd Cymru yn ystod ein mynych grwydradau.

Wedi gwireddu'r un breuddwyd hwn, roedd o leiaf un breuddwyd arall yn uchel ar yr agenda ers tro, sef cysylltu'r ddau dŷ – tŷ'r genethod a thŷ'r bechgyn, a'u cael o dan yr unto. Dechreuwyd ar y gwaith tua diwedd 1972 gan fod y sefyllfa ariannol unwaith eto yn caniatáu inni fentro ar brosiect mor uchelgeisiol.

Yn y blynyddoedd cynnar, mae'n debyg bod y ddau dŷ yn gwbl annibynnol ar ei gilydd – dyna gonfensiwn y dydd pan sefydlwyd y Cartref, y genethod a'r bechgyn ar wahân. Ond, yn raddol, fe ddaeth ty'r bechgyn yn rhyw fath o bencadlys ac yn fan cyfarfod i amrywiol weithgareddau. Yno hefyd yr oedd y dderbynfa a'r swyddfa, y gegin a'r ystafell fwyta. Yn naturiol, felly, roedd tramwyo cyson, yn arbennig i'r genethod, rhwng y ddau adeilad. Ar dywydd garw, ac wedi iddi nosi, roedd sefyllfa o'r fath yn gallu bod yn ddiflas iawn i'r staff a'r plant gan fod dipyn mwy na cham neu ddau i'w droedio, a hynny lawer gwaith mewn diwrnod. Bellach, roedd yn amlwg bod cysylltu'r ddau dŷ yn ymarferol angenrheidiol ac roedd hefyd yn bwysig i greu'r ddelwedd o un aelwyd ac un teulu.

Yn sgil cynllun y llwybr cyswllt *(link corridor)*, manteisiwyd ar y cyfle i wireddu breuddwyd neu ddau arall. Roedd gwir angen swyddfa newydd, hwylus a modern, gan fod y gefnogaeth i'r Cartref wedi cynyddu'n sylweddol a gwaith y swyddfa o'r herwydd wedi mwy na threblu erbyn y saith degau. Angen gwirioneddol arall oedd ystafell neu ddwy i'r plant hynaf i ddarllen ac astudio mewn tawelwch. Adeiladwyd stydi i'r plant a swyddfa dan yr unto â'r llwybr cyswllt. Yn nhŷ'r genethod, roedd dau neu dri o dai-allan diwerth erbyn hynny ac fe addaswyd y rheini'n ystafelloedd a fyddai o fudd i'r plant, megis cegin fechan a stydi. Cwblhawyd y gwaith cyn diwedd 1973. Heb amheuaeth, bu'r gwelliannau o hwylustod mawr i'r staff a'r plant ac yn sicr yn help i hyrwyddo gwaith y Cartref.

Daethom i ben y dalar ddiwedd Medi 1975, yn ffigurol felly, wrth gwrs, oblegid roeddem yn ymwybodol bod llawer rhagor i'w wneud er lles y plant. Erbyn hynny, roeddem wedi gwasanaethu'r Cartref fel ysgrifennydd am un mlynedd ar bymtheg ac fel wardeniaid am dair blynedd ar ddeg – mwy o gryn dipyn nag yr oeddem wedi'i addo. Bellach, roeddem wedi croesi'r pum deg oed ac yn teimlo bod yr amser yn addas oherwydd natur a gofynion arbennig y gwaith, i drosglwyddo'r awenau i 'dad a mam' ifancach, a fyddai'n naturiol yn fwy ymwybodol o angenrheidiau'r plant ac mewn mwy o gydymdeimlad â'u problemau. Mae'n rhaid cyfaddef, hefyd, fy mod yn ysbeidiol ers tro wedi teimlo rhyw ysfa i orffen fy ngweinidogaeth yn gofalu am eglwys. O ganlyniad, pan estynnwyd galwad i mi i fod yn weinidog ar eglwysi Moreia, Morfa Nefyn, Boduan a Phentruchaf, yn Henaduriaeth Llŷn ac Eifionydd, fe'i derbyniwyd yn llawen.

Codi ein pac, felly, yn hydref 1975, o Arfon i ben Llŷn, a'r Parchedig a Mrs Gareth Maelor Jones yn codi eu pac hwythau o ben Llŷn i Arfon – dau, wrth gwrs, a oedd eisoes wedi gwneud gwaith arloesol i'r Cartref gyda'r Cardiau Nadolig. Nid gwaith hawdd oedd gollwng yr awenau ond, fel roeddem wedi gobeithio, cawsom eu trosglwyddo i rieni ifanc ymroddgar a oedd wedi eu donio'n helaeth â'r cymwysterau a oedd yn angenrheidiol i'r swydd.

Cofio doe yr ydym ni'n dau heddiw a ninnau bellach yn hydref ein dyddiau ond, yn ffodus, yn cael cyfle, pan fo rhai o'r 'hen' blant a'u teuluoedd yn galw heibio, i hel atgofion difyr a dwys. Ym mis Mehefin 1997, roeddem yn dathlu ein priodas aur ac, yn ddiarwybod i ni, roedd Iolo, ein mab, wedi trefnu parti i ddathlu'r amgylchiad. Ymysg y gwahoddedigion, roedd nid yn unig ein teulu ni ond cynifer ag y gallai Iolo gysylltu â hwy o'r 'hen' blant yr oeddem ni wedi cael y fraint o'u magu yn ystod y tair blynedd ar ddeg y buom yn Wardeniaid. Roedd oddeutu deg ar hugain ohonynt wedi cyrraedd y parti o bob cwr o'r wlad, rhai hyd yn oed wedi teithio o Loegr. Parti annisgwyl, a dweud y lleiaf, ond noson nad anghofiwn mohoni byth. Sôn am siarad a hel atgofion, hyd fore trannoeth. Y llawenydd mwyaf i ni oedd canfod bod eu hatgofion am eu magwraeth yn y Cartref yn rhai mor felys ac mor ddiffuant werthfawrogol. Bu un o'r bechgyn yn ddiwyd yn cofnodi digwyddiadau'r noson yn llawn ac yn eu diogelu ar dâp fideo. Yn ddiweddarach, fe gyflwynwyd y fideo yn anrheg inni a phan fo pwl o hiraeth yn dod heibio am yr hen amser, mae chwarae'r tâp fideo fel potelaid o ffisig, yn donic gwirioneddol, ac yn peri inni sylweddoli braint mor fawr oedd cael bod ynglŷn â'r rhan bwysig yma o weinidogaeth yr eglwys. Mor addas yw geiriau John Masefield:

> *And he who gives a child a treat*
> *Make joy bells ring in heaven's street.*
> *And he who gives a child a home*
> *Builds palaces in Kingdom Come.*

'Yn gymaint ag i chwi ei wneud i un o'r lleiaf o'r rhain, fy mrodyr, i mi y gwnaethoch'.

15. DIWEDD Y GÂN

Gofal am blant yw dechrau a diwedd pob cân yn hanes Cartref Bontnewydd ond mae'r gofal hwnnw'n dibynnu ar y geiniog, ac ni ellir ond canmol y gefnogaeth ariannol a roddwyd i'r Cartref o'r cychwyn cyntaf.

Addewid R. B. Ellis a'i briod oedd cyflwyno darn o dir yn y Bontnewydd i Henaduriaeth Arfon tuag at sefydlu 'Cartref i Blant Amddifaid' yn ogystal â mil o bunnoedd i agor trysorfa i'r amcan hwnnw.

Yn ôl yn y ddeunawfed ganrif, bu *George Whitfield* gyda chymorth Howel Harris, yn casglu arian at gartref i blant amddifaid yn Georgia, America, ac fe fu Harris yn gyfrifol am hel deg punt a phedwar ugain mewn un cyfarfod, swm aruthrol yn y cyfnod hwnnw. (Ceir hanes y cartref hwn gan Arnold Dallimon yn y bennod 'A House of Mercy in the Woods of Georgia' yng nghyfrol gyntaf ei waith ar George Whitfield, a gyhoeddwyd gan Banner of Truth, Caeredin, 1970.) Er bod cartref o'r math yma yn beth dieithr i eglwys Ymneilltuol Cymru, bu ymateb yr eglwysi i ymweliadau'r Parchedig W. J. Williams, Beddgelert, yn eithriadol o hael. Mae'n rhaid cofio, hefyd, bod cylch y casglu yn weddol fychan. Felly, fel ysgrifennydd cyntaf y Cartref, roedd yn galondid iddo nad oedd angen cymell rhyw lawer ar yr eglwysi, cymaint oedd eu parodrwydd i gyfrannu. Roedd cyfanswm y casgliad cyntaf hwn yn £1643.13.2 ac felly'n fwy na phunt am bob punt a roddwyd mor hael yn anrheg arloesol Robert Bevan Ellis a'i wraig. Mae enwau'r holl eglwysi a gyfrannodd, 81 ohonynt i gyd, yn yr Adroddiad Blynyddol cyntaf. Nodir, hefyd, enwau pawb a gyfrannodd dros hanner coron; felly, ni cheir byth wybod enw'r aelod yng nghapel Ty'n-y-Maes a roddodd offrwm o dair ceiniog – hatlin y wraig weddw, hwyrach. Wedi talu'r holl gostau'r adeiladu, roedd £133.11.10 mewn llaw.

Roedd y cyfrifoldeb o ddodrefnu'r tŷ yn nwylo nifer o chwiorydd o dan arweiniad Mrs J. W. Jones, Plasybryn. Roedd angen £300 i gyd i brynu'r dodrefn ac fe'i cafwyd yn ddidrafferth fel nad oedd dyled o gwbl pan agorwyd y Cartref yn swyddogol. Yr un oedd yr hanes ymhen chwe blynedd wedyn pan adeiladwyd cartref i fechgyn yn gyfochrog â'r adeilad cyntaf. Y tro hwn, nid eglwysi Arfon yn unig a gyfrannodd ond holl eglwysi'r Gogledd a Glannau Mersi. Cymaint oedd y gefnogaeth fel y talwyd am atgyweiriadau ar y cartref gwreiddiol yn ogystal ag adeiladu'r ail dŷ a'i ddodrefnu.

Ond dim ond megis dechrau oedd y cyfrifoldeb ariannol gan fod i'r Cartref gostau cynnal a chadw. Yn 1908, roedd costau cadw 60 o blant yn £700 yn flynyddol, tua £35,000 yn ôl gwerth y bunt heddiw. Oni bai am y rhoddion wythnosol o lefrith a wyau gan amaethwyr yr ardal, a rhoddion o fwydydd eraill a dillad, byddai'r gost flynyddol yn llawer iawn mwy.

Bwriad gwreiddiol y Llywodraethwyr oedd ceisio cael nifer o danysgrifwyr blynyddol heb ddyfod ar ofyn yr eglwysi am gasgliad o gwbl, ond nid felly y bu. Mae'n rhaid canmol yr eglwysi ac ni pheidiodd eu cefnogaeth hyd y dydd heddiw, nac ychwaith haelioni unigolion.

Derbyniwyd y rhodd fawr gyntaf yn 1908, sef deng mil o bunnoedd gan Robert Davies, un o feibion Richard ac Annie Davies, Plas Treborth, Bangor. Roedd i'r ddau nifer o blant a chododd y tad dai sylweddol ar gyfer rhai ohonyn nhw ar lan y Fenai .Un o'r tai hyn oedd Bodlondeb, ar gwr Pont y Borth, ac yno roedd Robert Davies yn byw. Roedd y teulu'n graig o arian; Richard Davies, y penteulu, oedd capten mawr marsiandïaeth y Methodistiaid Calfinaidd yn Arfon a Môn yn ail hanner y bedwaredd ganrif ar bymtheg. Roedd Annie, ei wraig, yn ferch i'r Parchedig Henry Rees, Lerpwl, un o uchel seraffiaid yr Hen Gorff y blynyddoedd hynny. Nid rhyfedd, felly, bod Robert Davies, y mab, yn tywallt ei filoedd i gefnogi'r enwad ac i sefydlu capeli yn arbennig, gan gynnwys capeli'r *Inglis Côs*. Ond mae'n amlwg bod Cartref Bontnewydd yn agos at galon teulu Davies, Treborth. Ym mis Medi, 1899 aeth y Parchedig Evan Jones, Caernarfon, at Annie Davies, y fam, i'w gwahodd i fod yn aelod o'r pwyllgor oedd yn delio â'r syniad o gael cartref i'r amddifaid, a derbyniodd hithau'r gwahoddiad. Bu'n cyfrannu dwy a thair gini yn gyson i goffrau'r Cartref, a diddorol oedd gweld mai merch iddi hi oedd wedi talu am gostau meddyginiaeth i un o ferched y Cartref pan fu raid iddi dreulio cyfnod yn sanatoriwm bach Penhesgyn, ar gyrion Porthaethwy, yn 1913.

Y mae un ddolen arall, o leiaf, y dylid sôn amdani yn hanes y gadwyn a fodolai rhwng y Cartref a theulu Treborth. Gwrando ar Henry Rees, Lerpwl, yn pregethu fu'r rheswm i John Jones, Talysarn, ei gyflwyno'i hun i'r weinidogaeth. John Jones, Talysarn, yn ei dro, fu'n cymeradwyo Robert Ellis i Henaduriaeth Arfon. Ymhen amser, ei fab ef, Robert Bevan Ellis, a sefydlodd Gartref Bontnewydd, a chael cefnogaeth gan ferch Henry Rees, Lerpwl, a'i theulu yng nghyfraith goludog ym Mangor. Priodol ydi cofnodi yn y cyswllt hwn fod Cartref Bontnewydd wedi derbyn yn hael o haelioni eglwysi a charedigion Methodistiaid Calfinaidd Lerpwl a'r cylch. Cofiodd nifer ohonynt am y Cartref yn eu hewyllysiau a dyma un o'r prif ffynonellau i goffrau ariannol Cartref Bontnewydd am flynyddoedd lawer.

Fe geir astudiaeth fanwl o'r cefndir Cymreig ac Ymneilltuol hwn yng nghyfrol J. R. Jones, *The Welsh Builder on Merseyside*. Cyfeiria at ddechreuad y dylifiad mawr o Gymry a Gwyddelod a ddaeth i Lerpwl i chwilio am waith oddeutu diwedd y ddeunawfed ganrif. Yn y ganrif ddilynol, daeth nifer fawr i lannau Mersi o Ynys Môn. Yn ôl cofrestr bedyddiadau'r capel Cymraeg cyntaf yn Lerpwl, sef hen gapel Pall Mall (Methodistiaid Calfinaidd), roedd bron i ddau o bob tri aelod yn dod o Ynys Môn. Yn y Cyfrifiad Elusennol Cymreig, dywedir bod oddeutu 8,000 o Gymry yn byw yn Lerpwl yn 1813, ac erbyn 1850 roedd y ffigur yn agos i 20,000. Gweithiai mwyafrif y Cymry yn y dociau, ar y camlesi ac, wrth gwrs, gyda'r adeiladwyr tai. Roeddent yn ddiguro fel seiri maen a seiri coed. Daeth nifer fawr ohonynt yn ddynion busnes amlwg yn y ddinas ac yn brif adeiladwyr tai. Yn *The Welsh Builder on Merseyside*, enwir dros 400 o adeiladwyr Cymraeg Lerpwl a deuai 161 ohonynt o Ynys Môn. Nodir hefyd i ba enwad y perthynai'r rhan fwyaf ohonynt, ac roedd 174 yn aelodau gyda'r Methodistiaid Calfinaidd, a 110 o'r rhain yn flaenoriaid yn y gwahanol eglwysi. Daeth wyth yn eu tro yn llywyddion yr Henaduriaeth, ac yn 1883 cafodd un ei ordeinio'n weinidog, sef y Parchedig Thomas Jones, Newsham Park. Mae'n amlwg fod crefydd a chapel yn bwysig yn eu golwg. Gellir dweud am y rhan fwyaf o'r adeiladwyr bod eu haelioni a'u cefnogaeth i achosion da yn dystiolaeth o'u crefydd ymarferol. Cyn i'r Fonesig Margaret Lloyd George, ar achlysur agor y Benarth yn 1926, apelio ar i bobl gofio am Gartref Bontnewydd yn eu hewyllysiau, roedd cymaint ag un ar ddeg o garedigion Glannau Mersi eisoes wedi gwneud hynny, a bu i lawer mwy ddilyn eu hesiampl ac, yn eu plith, rai o'r adeiladwyr hyn a'u teuluoedd.

Un o'r rhai cyntaf o adeiladwyr Lerpwl i gofio am y Cartref trwy ewyllys oedd William Jones, Mollington Road, Seacombe. Gwyddai o brofiad beth oedd bod yn amddifad o fam. Bu hi farw ac yntau ond yn faban bach. Iâ, un o Fôn oedd yntau hefyd, o bentref Bryngwran. Roedd yn ŵr di-briod, a gadawodd ei arian i gynorthwyo gweddwon, tlodion a phlant bro ei febyd ac i lawer o achosion da eraill.

Pam, tybed, y derbyniodd Cartref Bontnewydd gymaint o gefnogaeth gan Gymry Glannau Mersi? Y Methodistiaid Calfinaidd oedd yr unig enwad Anghydffurfiol yng Nghymru i sefydlu cartref i'r amddifaid ac roedd dwy ran o dair o eglwysi Cymraeg Lerpwl gan gynnwys yr ystafelloedd cenhadol yn perthyn i'r Methodistiaid Calfinaidd. Felly, hefyd, y rhan fwyaf o Gymry Lerpwl. Ai dyna'r rheswm? Mae'n rhaid cofio, hefyd, i nifer o blant amddifaid Cymry Lerpwl ddod dan ofal Cartref Bontnewydd.

Amrywiai'r cymynroddion o ychydig gannoedd i rai miloedd ond y swm mwyaf o ddigon oedd yr arian a ddaeth trwy ewyllys Thomas Hughes, Croydon Avenue, Lerpwl, a Bodfair, Y Fali,Ynys Môn (1857-1937). Derbyniwyd yn agos i chwarter miliwn o bunnau. Ganwyd ef yn Llanrhuddlad a aeth i Lerpwl yn 14 oed i'w brentisio'n saer coed. Cyn cyrraedd ei ddeg ar hugain oed, aeth yn bartner gyda'i gefnder, Thomas Williams, a dechrau adeiladu yn Bootle ac, wedi hynny, ar ei liwt ei hun yn ardal Smithdown Road a hefyd yn agos i stesion Sefton Park. Yn ei flynyddoedd olaf, treuliodd y rhan fwyaf o'i amser yn Bodfair, Y Fali. Bu'r gwaddol hwn yn gymorth i'r Ymddiriedolaeth newid cyfeiriad a thorri tir newydd.

Oes, mae gan Gartref Bontnewydd le i fod yn ddiolchgar iawn i gyfeillion cyfoethog fel Thomas Hughes, Robert Davies o deulu Treborth, Mrs Elizabeth Davies, Llandinam, a'i dwy ferch, Misses Gwendoline a Margaret Davies, Gregynog, a llawer o bobl lai cefnog – rhai cyffredin eu byd fel y gŵr ifanc a wnaeth ei ewyllys yn ystod y Rhyfel Byd Cyntaf yn un o ffosydd Ffrainc. Pa faint bynnag oedd y symiau a adawyd i'r Cartref, bach neu fawr, yr un oedd yr ysbryd a'r galon gynnes a fu'n eu cymell.

Gellir dweud yr un peth am y rhai fu'n pererindota'n ddyfal am oriau yn eu cymdogaeth yn casglu arian at y Cartref, ac fe barheir i wneud hynny mewn un ardal o hyd, sef cylch Rhydlios, Llŷn.

Na, ni fu'r Cartref yn brin o gefnogwyr.

- Bu Mrs Jane Ann Williams, Bronwylfa, Llanwnda, yn Ddorcas o gymwynaswraig, a gweithiodd â'i llaw ddilladau i'r plant am saith mlynedd ar hugain.
- Cae gyferbyn â'r Cartref oedd rhodd Henry Owen, Plasybont ond, yn wahanol i Ananias Llyfr yr Actau, dyblodd werth y cae drwy ychwanegu darn o dir ato fel ei fod yn gae chwarae gwerth chweil.
- Sefydlu cronfa brentisio ac addysg uwch oedd cymwynas Richard Thomas Hughes a Robert Gwyneddon Davies. Ffermwr diymhongar o Ynys Fawr, Môn, ac yn wreiddiol o Betws Garmon, oedd R. T. Hughes, a Robert Gwyneddon Davies yn gyfreithiwr a maer Caernarfon yn ei ddydd. Priododd ferch o Lerpwl, Grace Gwyneddon – cantores ac un a hybodd gasglu caneuon gwerin. Ef a olynodd R. B. Ellis yn llywydd Bwrdd y Llywodraethwyr. Roedd yn fab i'r newyddiadurwr John Davies (Gwyneddon), golygydd cyntaf *Y Goleuad* a thrysorydd cyntaf y Cartref, hefyd. Felly, roedd y buddsoddiadau mewn dwylo diogel fel y maent heddiw.
- Pan etholwyd y trysorydd presennol, Mr Bryan J. Jones, 34 o flynyddoedd yn ôl yn Ebrill 1968, roedd y cyfrif cyfredol mewn

dyled o bum mil o bunnau ond ymhen dim o amser trodd lliw'r inc
o goch yn ddu!

Gellir dweud am y cymwynaswyr hyn eu bod fel y rhai y sonnir amdanynt
yn yr Apocrypha, Llyfr Ecclesiasticus 44:8: 'Y mae rhai ohonynt a adawodd
enw ar eu hôl, i bobl allu traethu eu clod yn llawn. Ond y mae eraill nad oes
iddynt goffadwriaeth.'

Oni bai i gannoedd o bobl ledled Cymru a'r tu hwnt roi arian i'r Cartref,
byddai'r drws wedi cau ers blynyddoedd.

Os oedd eisiau gwario mwy nag arfer ar rywbeth neu'i gilydd, byddai'r
diweddar Emyr Thomas, Caernarfon, yn dweud 'Ymddiriedwn yn Nuw ac
awn ymlaen â'r gwaith, mae'r arian yn siŵr o ddod'. Bu iddo ddilyn ei dad,
sef y Parchedig Richard Thomas, yn ymddiriedolwr ac olynwyd yntau gan
ei fab a enwyd ar ôl ei daid – tair cenhedlaeth a wasanaethodd fel
ymddiriedolwyr.

Yn sicr, mae'r gofal o hyd yn dibynnu ar lu o gymwynaswyr caredig.

16. Y CARDIAU NADOLIG

Dychmygwch eich hun mewn cyfarfod o Henaduriaeth Llŷn ac Eifionydd yn nechrau'r chwe degau yng nghapel Pant-glas ar brynhawn poeth a thrymaidd – anwedd yn dylifo i lawr y waliau a'r ffenestri, a chwys ar dalcen, a chwithau'n ceisio'ch gorfodi eich hun i ganolbwyntio ar adroddiadau pwyllgorau, un ar ôl y llall – Pwyllgor yr Adeiladau am i'r Cyfarfod Misol gadarnhau eu penderfyniad i roi toiled newydd yn nhŷ capel y lle a'r lle a rhes o benderfyniadau eraill; Pwyllgor Mynwent Tai Duon, wedyn, eisiau'r hawl i atgyweirio'r ffens derfyn, fel pe bai perygl i rai o'r trigolion ddianc oddi yno! Fel yr âi'r adroddiadau ymlaen, trymhau a wnâi amrannau sawl un o'r aelodau, a phennau'n araf wyro ond nid mewn gweddi, ac yna llanwyd y capel bach ag awel ffres nes deffro pawb. Gweinidog Trefor oedd yn gyfrifol am yr adfywiad – y diweddar Barchedig Hartwell Morgan, yn siarad ar ran Cartref Bontnewydd.

Aeth geiriau ei apêl nid yn unig i'r galon ond cyrhaeddodd hefyd boced pawb ohonom ac ar y ffordd adref roedd byrdwn ei neges fel nodwydd ddur yn pigo fy nghydwybod. Y noson honno, roedd cyfarfod gan bobl ifanc gofalaeth Abersoch a'r cylch – llond festri o frwdfrydedd criw ifanc a'u galwai eu hunain 'Y Gorchfygwyr'! Trwy ddŵr a thân oedd arwyddair y rhain. Soniais wrthynt am yr apêl a wnaed y pnawn hwnnw ar ran Cartref Bontnewydd ac yn dilyn daeth ffrwd o awgrymiadau – sut a pha fodd yr oedd modd codi arian.

Yn nechrau'r chwe degau, ychydig iawn o gardiau Nadolig elusennol oedd ar y farchnad fel sydd heddiw a dyna'r awgrym a gariodd y dydd: 'Beth am 'neud cardiau Nadolig ein hunain a rhoi'r elw i Gartref Bontnewydd?' Aethpwyd ati rhag blaen i gynllunio'r cerdyn.

Mewn cymhariaeth â'r llu o gardiau Nadolig cywrain a lliwgar a geir bellach, roedd hwn yn hynod o syml ac amaturaidd ac eto, erbyn Gŵyl y Geni 1964, gwerthwyd 60,000 ohonynt a gwnaed elw o £284.06. Efallai fod y llun ar glawr y cerdyn yn rhoi'r argraff mai gwaith plentyn ydoedd a hwyrach mai dyna'i apêl. Wedi'r cwbl, roedd elw'r gwerthiant yn mynd tuag at gartref i blant amddifaid.

Roedd gwahaniaeth mawr yn artistwaith a chynlluniau'r cardiau lliwgar a ddilynodd y cerdyn Nadolig cyntaf un.

Y cerdyn cyntaf

Cerdyn diweddarach

I wella'r·diwyg, cafwyd cymorth arlunwyr cydnabyddedig fel J.P.Williams, Ivor Owen, Joan Chatfield, William Selwyn, Hywel Harries a E.Meirion Roberts ac eraill.

O'r Nadolig hwnnw ymlaen, bu ymgyrch y cardiau fel caseg eira a chynyddodd o flwyddyn i flwyddyn.

Yn wreiddiol, pwrpas yr ymgyrch oedd gwneud elw a fyddai o fudd i'r Cartref ond sylweddolwyd yn fuan iawn bod y cardiau Nadolig yn hysbyseb heb eu bath. Onid oedd enw Cartref Bontnewydd yn mynd i gartrefi ledled Cymru ac i sylw miloedd ar filoedd o bobl? Bu'n ddull cyfathrebu ardderchog am flynyddoedd ac yn ysbrydoli unigolion ac eglwysi drwy'r wlad i gefnogi gwaith y Cartref yn hael ac ymarferol. Heb gymorth yr eglwysi, a oedd yn bennaf gyfrifol am farchnata'r cardiau, ni fyddai'r llwyddiant wedi bod yn bosibl.

Yn sgîl y cardiau hyn, daeth englynion newydd sbon danlli i olau dydd am y tro cyntaf. Nid yn unig yr oedd angen gwella ansawdd cynlluniau'r cardiau a'u gwneud yn fwy lliwgar ac atyniadol ond roedd hefyd angen amrywio'r cyfarchion o flwyddyn i flwyddyn. Bu'r beirdd yn fwy na pharod i gyfansoddi englynion ac erbyn hyn mae rhai o'r englynion hynny'n adnabyddus iawn. Hwyrach mai'r enwocaf ohonynt yw gwaith y diweddar Eirian Davies:

> Ni wyddom am ddim rhyfeddach,–Crëwr
> Yn crïo mewn cadach,
> Yn faban heb ei wannach,
> Duw yn y byd fel dyn bach!

Yn sicr, bu'r ymgyrch cardiau Nadolig yn gymwynas i fyd englynion y geni:

> Nos dawel, ddi-awel oedd hi – a naws
> Hanner nos oedd iddi,
> Awr gannaid oedd awr geni
> Oesau'n ôl ein Iesu ni.
>
> *Dic Goodman*

Cyfarchiad gan robin goch sydd yn yr englyn hwn:

> Arian 'does gennyf hwyrach,–na golud
> Dirgelion byd masnach,
> Ond rhof drysor rhagorach
> Aur fy nghân i'r baban bach.
>
> *Geraint Lloyd Owen*

Ond efallai mai englyn arall o eiddo Eirian Davies sy'n mynegi profiad nifer o'r plant a fu yng ngofal Cartref Bontnewydd.

Y Prifardd Gerallt Lloyd Owen a greodd lun y bachgen sy'n sefyll ar riniog y drws a'i lygaid mawr yn siarad ar ran y plant.

> Uwch aelwyd wedi'i chwalu – y gwelais
> Y golau'n diflannu,
> Ond, er ofnau dyddiau du,
> 'Rwy'n dal yn rhan o deulu.

Mae'n debyg bod cyfnod ac amser i bopeth, ac felly yn hanes Cardiau Nadolig Cartref Bontnewydd. Pan fu'n rhaid newid cyfeiriad, daeth pennod y cardiau Nadolig i ben. Er bod tro ar fyd bellach yng ngwaith y Cartref, go brin y gellir cyfiawnhau ceisio dod yn ôl i'r farchnad unwaith eto. Os newidiwyd cyfeiriad, yr un yw'r nod a gobeithio bod rhai'n gallu dweud o hyd, 'Rwy'n dal yn rhan o deulu'.

Heb amheuaeth, bu'r cardiau Nadolig yn gymorth mawr i wneud hyn yn bosibl. Diolch am apêl dreiddgar gweinidog Trefor gynt ar brynhawn llethol mewn Cyfarfod Misol a gweledigaeth pobl ifanc o Lŷn.

17. OCHR YN OCHR

Fel ym mhob mynwent arall, ceir cerrig coffa ym mynwent Capel Caeathro, ger Caernarfon, sy'n cofnodi galwedigaethau rhai o'r tenantiaid. Mae yma argraffydd, adeiladydd, arlunydd, pobydd, cerddor, ceidwad carchar, cyfreithiwr, meddyg, a sawl masnachwr blawd a glo. Mae enwau'r masnachwyr llechi a'r capteiniaid môr yn gwneud i rywun gamu'n ôl mewn amser i ganol prysurdeb diwydiant a fu yng nghysgod castell Caernarfon. Nodir enwau llongau rhai o'r capteiniaid hyn – yr agerlong *King Ja Ja*, y sgwner *Catherine & Margaret* a'r *Neptune*, enwau sy'n dwyn ar gof hud a rhamant geiriau'r sianti fôr *Llongau Caernarfon*: 'Mae'r holl longau wrth y Cei yn llwytho' – golygfa na welir byth mohoni eto, a pherthyn i'r un cyfnod y mae'r gair 'gwehydd' sydd ar un o'r beddau.

O'r holl alwedigaethau y cyfeirir atynt, y fwyaf lluosog o ddigon yw'r weinidogaeth. Claddwyd yn y fynwent fechan hon saith ar hugain o weinidogion, pum pregethwr ac un cenhadwr a llu o flaenoriaid, digon i gynnal Cyfarfod Misol os nad Sasiwn ar Ddydd yr Atgyfodiad! Un o'r gweinidogion hyn oedd Richard Thomas a fu yn ei swydd fel ail ysgrifennydd Cartref Bontnewydd am 42 o flynyddoedd. Yn wir, ceir yn eu plith rai o enwogion cenedl – John Roberts (Ieuan Gwyllt); David Jones, Treborth, brawd John Jones, Talysarn, ac awdur yr emyn 'Mae Duw yn llond pob lle'; William Owen (Prysgol), cyfansoddwr y dôn 'Bryn Calfaria', a William Gwenlyn Evans, yr argraffwr a'r cyhoeddwr.

Yno, hefyd, y mae beddrod pedwar o blant Cartref Bontnewydd – Evelyn, yr ieuengaf, yn wyth oed, Tom a Maggie, ill dau yn bedair ar ddeg, a David yn bymtheg. Pan oeddent yn nhir y rhai byw, tybed a olygai enwau adnabyddus fel Ieuan Gwyllt a Gwenlyn Evans rywbeth iddynt? Pwy a ŵyr? Ond ochr yn ochr â hwy, y mae bedd teulu Robert Bevan Ellis ac roedd ef yn golygu llawer i'r pedwar. Os nad oeddent o'r un gwaed, yr oeddent o'r un 'teulu', diolch i R. B. Ellis. Yn 1908, dirywiodd ei iechyd a bu'n wael ddifrifol, a daeth plant y Cartref i ddeall hynny. Ceir yr hanes yn fanwl yn llyfr Richard Thomas:

> Yn hwyr iawn y noson honno, aeth *Matron* y Cartref i fyny i Fronant i ymholi ynghylch y claf, ac am ei bod yn nyrs brofedig gofynnwyd iddi

aros yn gwmni i'r un oedd yno yn barod. Aeth i lawr i'r Cartref oddeutu un ar ddeg i weled a oedd popeth yn iawn yno. Wedi rhoddi'r golau, aeth i fyny'r grisiau. Yno gwrandawodd, a chlybu sŵn siarad. Dynesodd at ddrws y *dormitory* ac adnabu'r llais fel eiddo Tom. Dyma'i eiriau: 'Ein Tad yn y nefoedd, yr ydan ni yn gofyn iti wnei di fendio Mr Ellis. Y mae o'n sâl iawn heno. 'Tasa fo'n marw a dwad atat Ti i'r nefoedd, basa'n golled i bawb, colled i'r ardal, ac i'r capal, ond ni, blant y Cartra, fasa'n cael y golled fwyaf o bawb – yr wyt Ti wedi'i roi yn dad i ni. Er mwyn Iesu Grist, Amen'.

Agorwyd drws yr ystafell, rhoddwyd y golau, ac wele, yr oedd pob bachgen yn yr ystafell ar ei liniau wrth ei wely.

Mae'r weddi'n dweud y cwbl am y math o fagwraeth a dderbyniodd plant y Cartref yn y cyfnod hwnnw.

Ymhen pedair blynedd wedyn, bu farw'r sylfaenydd ar Ragfyr 19, 1912. Ni welwyd yn dda i sôn amdano yn y *Bywgraffiadur Cymreig*. Mae'n rhyfedd na fuasai'r hanesydd, R. T. Jenkins, golygydd y gyfrol, wedi cynnwys ei enw. Wedi'r cwbl, roedd sefydlu cartref Cymreig i blant amddifaid yn ddigwyddiad o bwys yn hanes enwad y Presbyteriaid ac Anghydffurfiaeth Cymru. Gwyddai R. T. Jenkins yn dda am R. B. Ellis ac am hanes y Cartref oherwydd bu Elizabeth, un o blant y Cartref, mewn gwasanaeth gydag ef a'i briod am flynyddoedd maith. Ymfalchïai Elizabeth bob amser ei bod yn un o blant teulu mawr Robert a Margaret Bevan Ellis.

Felly mae'n arwyddocaol fod pedwar o blant y teulu mawr hwn wedi eu claddu ochr yn ochr â beddrod yr un a fu fel tad iddynt.

Efe oedd tad y Cartref, yn holl ystyr y gair – ac ni fu tad erioed mwy gwir a thyner ofalus o'i gartref ei hun ag oedd Mr Ellis o'r cartref mawr bendithiol hwn. Edrychid arno gan yr holl blant, o'r lleiaf hyd y mwyaf, yn hollol fel eu tad ... Fe gofir byth gan lawer gyfarfod gweddi'r plant ar ei ran, pan oedd ef yn beryglus wael.

(Coffâd gan Alafon yn *Y Goleuad*, Rhagfyr 25, 1912)

Y deyrnged orau y gellir ei rhoi iddo yntau ydi'r ffaith bod yr Ymddiriedolaeth a sefydlodd yn dal i ofalu ymhen can mlynedd wedyn am anghenion plant mewn angen.

18. O'R PUNJAB I GLWT-Y-BONT

O gofio'r holl waith cenhadol a wnaeth eglwysi Cymru yn yr India, byddai 'O Gymru i'r Punjab' yn gwneud mwy o synnwyr ond y tro hwn fel arall y mae.

Wedi wythnosau o dywydd gwlyb yn nechrau mis cyntaf y ganrif a'r mileniwm newydd, gwenodd yr haul un bore Llun, a heb oedi, gwnes yn fawr o 'nghyfle a ffwrdd â mi i ardal Gwaun Gynfi. Bwriad y daith oedd mynd i chwilio a oedd yr hen siop, *Helen Villa*, lle bu Robert Bevan Ellis yn ŵr busnes mor llwyddiannus, yng Nghlwt-y-Bont o hyd. Wrth nadreddu fy ffordd drwy bentref bychan Clwt-y-Bont, diolchais na ddaeth cerbyd arall i'm cyfarfod. Go brin y medrai dau gar basio'i gilydd yn hawdd iawn gan fod y ffordd mor gul. Nid oedd angen rhoi llawer o raff i'r dychymyg i mi fy mherswadio fy hun fy mod wedi camu'n ôl mewn amser i ddiwedd oes Fictoria. Mae'n wir bod drysau ffrynt go fodern i'w gweld yma ac acw ond, ar y cyfan, mae'r ddwy res tai sy'n wynebu ei gilydd heb eu difetha ac wedi cadw'r cymeriad gwreiddiol a oedd iddynt.

Ym mhen uchaf y pentref bach, mae'r ffordd yn troi'n sydyn i'r chwith dros Bont Caledffrwd, ac yn y dyfroedd islaw iddi gwelir yr eog yn dychwelyd yn flynyddol ar ei daith i fyny'r afon. Wedi croesi'r bont, ymhen rhyw bedwar can llath, mae Swyddfa Bost y pentref, sydd hefyd yn siop gwerthu papur newydd, bwydydd ac ati. Uwchben drws y siop, ceir enw'r perchennog – Mr J. Haq. Cyfenw hollol estronol i ardal mor wledig. Byddai'r un mor rhyfeddol gweld yr enw Mr J. Jones uwch drws siop yn yr India! Nid oedd angen holi rhai o drigolion yr ardal ai'r adeilad hwn oedd *Helen Villa* lle bu Robert Bevan Ellis gynt a'i rieni o'i flaen yn cadw siop, roedd Javed Haq wedi gwneud yr holl waith ymchwil o'm blaen, a digonedd o ddogfennau yn ei feddiant i brofi hynny.

Roedd y croeso a gefais ganddo ef a'i briod cystal ag un Cymreig, a chyn i mi eistedd bron roedd mygiad o goffi ar y bwrdd o'm blaen. Wrth iddo olrhain ei achau, roedd yn amlwg ei fod yn ymfalchïo yn ei wreiddiau a'i genedl, er na anwyd ef yn y Punjab yng ngogledd India. Trigai ei rieni yn Jeldender, Punjab, ond ymfudasant i Cenia. Yno y ganwyd ac y magwyd Javed Haq ond gofalodd ei rieni mai'r Punjabi oedd iaith eu haelwyd. Daw ei briod, Shaheen, o Lahore yng Ngorllewin Pacistan a'r Punjabi yw ei mamiaith hithau hefyd. Felly, er eu bod ymhlith yr Indiaid ar wasgar, y Punjabi a ddaw'n naturiol i'w gwefusau wrth siarad â'u plant yn eu cartref yng Nghlwt-y-Bont. Gresyn na fyddai rhai Cymry wedi gwneud yr un peth ar ôl ymfudo dros y ffin i Loegr. Mae iddynt ddau o blant, mab a merch. Mae Imran, y mab, yn ei arddegau hwyr, ac Iram, y ferch, yng nghanol ei harddegau. Mae'r naill a'r llall yn hollol rugl yn Saesneg ac yn dysgu'r Gymraeg a Ffrangeg fel ail-ieithoedd. Ni chafodd yr un ohonynt drafferth i ymgartrefu yng Nghymru ac yn ardal Gwaun Gynfi.

'Dewisais ddod i fyw i Gymru a'r ardal hon,' meddai, 'am eu bod yn fy atgoffa o'r ardal lle cefais fy magu ynddi yn Cenia. Hefyd, mae gennych chi'r Cymry yr un gwerthoedd teuluol ag sydd gennym ni.' Mae ei grefydd, y ffydd Islamaidd, y cartref, yr aelwyd a'r teulu yn aruthrol o bwysig iddo. Beth bynnag fyddai adwaith ei ragflaenwyr gynt yn Siop *Helen Villa* i'r ffaith mai Mwslemiaid sydd yno heddiw yn gwasanaethu y tu ôl i'r cownter, byddai Robert Bevan Ellis a'i dad yn sicr yn ymhyfrydu yn eu gwerthoedd teuluol.

Ar y dechrau, rhyfeddais at ei ddiddordeb mewn hanes lleol ac yng ngorffennol ei siop ond wedi gweld cymaint oedd ei barch at ei iaith ei hun a thraddodiadau ei genedl, hawdd oedd deall hynny wedyn. Meddai, 'Mae'n rhaid i mi barchu hanes fy ardal a'm gwlad fabwysiedig'. Canmolai lawer o'r trigolion sydd yn hybu ei ddiddordeb yn y fro, drwy ddod â phob math o ddogfennau hanesyddol i'w sylw. Bu yntau hefyd yn chwilota'n ddyfal yn yr archifdy, yn casglu ffeithiau am berchnogion y siop a thrigolion yr ardal. Roedd y ffeithiau hyn ar flaenau ei fysedd: 'Adeiladwyd *Helen Villa* yn 1825, wyddoch chi, ac addaswyd y lle yn siop a dechrau busnes yma.' Nid oedd ball ar ei barablu a gwyddai'n iawn am y Parchedig Robert Ellis a'i fab, Robert Bevan Ellis. Pwy fuasai'n meddwl y byddai un o Cenia â'i wreiddiau yn y Punjab â chymaint o ddiddordeb yn ardal Gwaun Gynfi a'i phobl. Gwers i lawer o fewnfudwyr a ddaw yma i ymgartrefu o Loegr.

Daeth y patrwm a'r ysgrifen a oedd ar y mwg coffi a roddwyd o'm blaen â gwen i'm hwyneb. Arno roedd llun fel a geir mewn sampler, sef tŷ a dwy goeden o boptu iddo gydag ysgrifen uwch ben y llun, a'r cwbl yn ymddangos fel brodwaith. Cyd-ddigwyddiad, a dweud y lleiaf, yn arbennig o gofio'r geiriau ar y mwg: HOME, SWEET HOME. Yn sicr, byddai hyn wedi plesio Robert Bevan Ellis.

19. ARALLGYFEIRIO

Yn hanes Cartref Bontnewydd, roedd Ebrill 1985 mor bwysig â mis Mawrth 1902, gan mai dyna pryd y sefydlwyd uned faethu gan yr Ymddiriedolaeth, ac o hynny ymlaen nid un drws oedd ar agor i rai mewn angen ond dwsinau lawer.

Erbyn yr wyth degau, roedd nifer y plant a ddeuai dan ofal y Cartref yn lleihau oherwydd, erbyn hynny, drwy Brydain i gyd, roedd y pwyslais ar rieni a chartrefi maeth.

Bwriad gwreiddiol R. Bevan Ellis oedd sefydlu cartref mor debyg ag yr oedd modd i gartref naturiol, felly roedd hyrwyddo cynllun maethu yn gam i'r cyfeiriad iawn. Yn wir, roedd cyflwyno plant i aelwydydd eraill yn hen arferiad gan Gartref Bontnewydd.

O gyfnod y Parchedig Emrys Thomas fel ysgrifennydd ymlaen, crëwyd perthynas naturiol â'r gymuned leol. Roedd ffrindiau ysgol y plant yn dod i'r Cartref, a phlant y Cartref yn eu tro yn cael eu gwahodd i'w haelwydydd hwythau. Mor wahanol oedd hynny yn y dau ddegau a'r tri degau ond, yn raddol, daeth y gor-warchod hwnnw i ben fel roedd plant y Cartref yn cael mynediad i aelwydydd eu ffrindiau fel y mynnent.

O bryd i'w gilydd, byddai ambell eglwys yn gwahodd y plant i fwrw'r Sul gyda hwy. Y drefn oedd mynd ben bore Sul yn y bws mini er mwyn cyrraedd oedfa'r bore mewn pryd ac yna byddai'r plant yn treulio gweddill y dydd gydag aelodau'r capel ar eu haelwydydd. Rhoddai hynny gyfle arall iddynt gael blas ar fywyd aelwydydd naturiol.

Mae'n rhaid canmol staff y Cartref, hefyd, gan y byddent yn mynd â phlentyn gyda hwy i aros ar eu haelwydydd eu hunain o nos Wener tan nos Sul ar eu diwrnodau rhydd.

Nid oedd y plant wedi torri pob cysylltiad â'u teuluoedd eu hunain chwaith. Byddai mam neu dad, neu'r ddau, yn galw i'w gweld ar Sadyrnau ac yn mynd â hwy i siopa neu am dro. Fel yr oedd amgylchiadau'r aelwyd yn gwella, câi'r plant fynd adref am ychydig ddyddiau, ac roedd hyn oll yn eu paratoi gogyfer â'r diwrnod y byddent yn dychwelyd adref yn barhaol.

Nid oedd hyn yn bosibl i bob un ohonynt a chafodd rhai o'u plith groeso a chartref gan rieni maeth. Enghraifft ragorol o rieni a chartref maeth ydoedd Bessie ac Eifion Williams o Ddeiniolen. Nid un plentyn a gafodd groeso a'chariad eu haelwyd ond nifer o blant ac yn eu plith dair chwaer o Gartref Bontnewydd. Roedd chwaer fach i'r tair eisoes dan eu gofal, yn fabi bach pum mis oed. Felly, llwyddwyd i gadw'r teulu gyda'i gilydd. 'Ar y dechra', roeddwn yn ofni y byddai'n ormod o dasg i mi,' meddai Mrs Williams, 'a chofio, hefyd, fod ein mab ienga'n dal adra hefo ni.' Ond yn fuan iawn, daeth y mab ienga' hwnnw yn frawd mawr i'r pedair chwaer, a'i frawd mawr yntau, a oedd yn briod a phlant ganddo, yn 'Yncl Dei' i'r chwiorydd. Os bu teulu estynedig llwyddiannus erioed, teulu Bessie ac Eifion Williams oedd hwnnw, a'r gyfrinach ydoedd rhoi i'r genod o'r un cariad a oedd ganddynt tuag at eu plant eu hunain. Yn fuan iawn, ymdoddodd y pedair i ffordd o fyw eu teulu newydd, a'r capel a'r Urdd yn ganolog ym mywyd y teulu hwn. Felly, cafodd pob un o'r pedair gyfle i gystadlu yn eisteddfodau'r Urdd, canu ac adrodd a pherfformio mewn caneuon actol, a chymryd rhan yng ngweithgareddau'r capel a'r Ysgol Sul. I Mr a Mrs Williams, meithrin cymeriad y plant a rhoi safonau iddynt oedd yn bwysig, bonws oedd y gwobrwyo a ddeuai i'w rhan yn y Gymanfa Ganu am waith ysgrifenedig yn yr Arholiad Sirol a llafur cof.

Credai'r ddau mai wrth roi y mae derbyn, oherwydd nid oedd iechyd Mrs Williams ar ei orau pan gymerodd y plant i'w haelwyd ond llwyddodd i oresgyn hynny gan 'fod y plant wedi mynd â 'mryd i gymaint'. Heb unrhyw amheuaeth, cyfoethogwyd bywyd y ddau, felly hefyd y plant a ddaeth i'w gofal. Er iddynt hedfan dros y nyth, maent yn dal cysylltiad o hyd ac yn dod â'u plant eu hunain erbyn hyn i weld 'taid a nain.'

Roedd arallgyfeirio ac ymwneud â rhieni a chartrefi maeth yn gam naturiol yn hanes yr Ymddiriedolaeth, a dyna'r cyfeiriad a gymerwyd pan ddychwelodd y rhai olaf o blant y cartref preswyl at eu rhieni. Yn 1984, penodwyd Miss Ann Owen yn gyfarwyddwraig yr Uned Faethu. Prif waith yr uned hon oedd gweithio mewn partneriaeth â hen Gyngor Sir Gwynedd i recriwtio rhieni maeth ac yna'u hyfforddi'n drwyadl, ac roedd hynny'n broses hir.

Datblygodd yr uned hon y tu hwnt i bob disgwyliad ac roedd Cartref Bontnewydd yn allweddol yn y gwaith o hyfforddi rhieni maeth. Ers hynny, newidiwyd y teitl a bellach nid fel rhieni maeth y cyfeirir atynt ond fel gofalwyr maeth. Pa un o'r ddau deitl ydi'r gorau? Mae'r teimlad a'r galon yn ochri 'rhieni maeth' ond mae'r rheswm a'r meddwl o blaid y llall. Pam y newid o 'rieni' i 'ofalwyr' maeth? Pwysleisia Deddf Plant 1989 – mai'r rhieni oedd piau cyfrifoldeb rhiant ac mai'r lle gorau i blentyn oedd bod gyda'i deulu ei hun. Er lles y plentyn, dylai pawb weithio fel partneriaid – y rhieni, y gofalwyr maeth a'r awdurdod lleol.

Yn Hydref 1991, trefnwyd cynhadledd yn Llundain gan y *Family Rights*

Heidi yn Sierra Leone gyda rhai o blant y stryd (puteiniaid ifanc)

Heidi Zwick gyda aelodau o dîm Gwasanaethau Cymdeithasol, Albania.
O'r chwith: Lola Berisha, Keti Treska, Heidi, Elan Sammon (Cyfarwyddwr Rhanbarth y
De-ddwyrain a'r Canolbarth) a Nerbis Ballhysa

Group i drafod y bartneriaeth hon. Un o'r siaradwyr oedd gŵr o Seland Newydd yn sôn am ei brofiad yn y wlad honno. Nid oedd yn hapus bod plant a throseddwyr ifanc y Maoriaid yn cael eu rhoi dan ofal cyfundrefn y llywodraeth a oedd yn gwbl groes i'w diwylliant. Eu traddodiad hwy oedd galw aelodau'r teulu ynghyd, ymhell ac agos, a deuai cymaint ag oedd yn bosibl at ei gilydd i wyntyllu'r sefyllfa. Wedi trafod hynny'n drwyadl, roeddent wedyn yn creu cynllun, y gorau posibl er lles y plentyn, i'w gadw o fewn gofal ei deulu ei hun. Roedd hyn wrth fodd calon Glyn Hughes, cynrychiolydd Gwynedd yn y gynhadledd. Gwyddai nad rhywbeth unigryw yn perthyn i'r Maoriaid oedd yr arferiad teuluaidd o drafod o gwmpas y bwrdd, oherwydd bu adeg pan oedd hynny'n digwydd yng Nghymru.

Bellach, mae ffordd o fyw wedi newid a phwysau ysgariad, sydd mor gyffredin yn ein dyddiau ni, yn rhwystro hyn rhag digwydd, ac mae'r tensiwn a'r croesdynnu a ddaw yn sgîl ysgariad yn dwysáu'r sefyllfa. Hefyd, yn dilyn ysgariad, mae aelodau o deulu yn symud i fyw i ardaloedd eraill, a'r pellter yn ei gwneud hi'n anoddach iddynt ddod at ei gilydd fel teulu. Er hyn i gyd, roedd Glyn Hughes yn benderfynol o geisio goresgyn yr anawsterau er mwyn clymu aelodau'r teulu wrth ei gilydd unwaith eto, gan mai byw gyda'i deulu'i hun sydd orau er lles plentyn, fel y pwysleisir yn Neddf Plant 1989.

Yn raddol, tyfodd y syniad o sefydlu cynllun o'r fath. Cynhaliwyd y gynhadledd teulu gyntaf ym Mhwllheli yn 1993. Yn 1995, penodwyd Glyn yn olynydd i Ann Owen fel rheolwr Uned Gofal Teulu Cartref Bontnewydd ac felly y daeth gwasanaeth 'Cwlwm' i fodolaeth – teitl addas iawn i gynllun o'i fath. Ers hynny, mae gwasanaeth Cwlwm wedi ymledu drwy'r wlad a'r tu hwnt. Mae i'r cynllun fframwaith arbennig:

- Y cam cyntaf yw cyflwyno'r cynllun a'i amcanion i'r teulu dan sylw, ac mae'n rhaid gofalu bod y lleoliad yn gyfleus iddynt. Dewisir man cyfarfod niwtral a chyffyrddus heb iddo ddiwyg ac awyrgylch llywodraethol.
- Y teulu sydd i benodi'r amser er mwyn osgoi oriau swyddfa swyddogol ac mae'r cyfarfod hefyd i fod yn anffurfiol.
- Mae'n hanfodol fod y plentyn yn adnabod pawb sydd yno ac felly gwahoddir yr holl deulu estynedig a ffrindiau agos.
- Mae'n rhaid parchu cyfrinachedd teulu a chofio bod gan bob teulu eu ffordd eu hunain o ddelio â materion; felly, mae'n bwysig rhoi cyfle iddynt gyfarfod yn breifat yn eu hamser eu hunain.
- Os daw rhai aelodau o'r teulu o gryn bellter, trefnir bwyd a llety

Clawr y pamffled gwreiddiol

Clawr pamffledyn hysbysebu Cynllun Cwlwm yn Rwseg

iddynt. Mae hyd yn oed paned o de ynddi'i hun yn symbyliad ac yn weithred seicolegol dda.

- Mae'n rhaid i'r iaith fod yn ddealladwy a chlir fel bod pawb yn deall ac yn dilyn y drafodaeth. Mae'n bwysig osgoi defnyddio *jargon* a sylwadau proffesiynol a all fod yn ddieithr i'r teulu.
- Wedi rhannu gwybodaeth a dod i ddeall beth yw'r pryderon a'r

135

anawsterau, gofynnir i'r teulu ffurfio eu cynllun eu hunain. Mae pob cynllun yn amrywio yn ôl yr angen a'r amgylchiadau; er enghraifft cynllun:

* amddiffyn plant
* cefnogi un rhiant
* rhwystro plant rhag troseddu
* ailgyflwyno plentyn o gartref maeth yn ôl at ei deulu ei hun.

- Mae'n rhaid i'r teulu wrth breifatrwydd fel y gall yr holl aelodau drafod yn agored ymhlith eu gilydd, a chreu'r cynllun mwyaf ymarferol ac addas i ddiwylliant y teulu. Felly, gallant barchu'r cynllun a'i berchenogi. Mae'n fwy tebygol o lwyddo gan mai hwy eu hunain piau'r cynllun.
- Mae'r teulu'n cyflwyno'r cynllun i weithwyr Cwlwm a chreu partneriaeth â hwy; yna, gellir gweithredu'r cynllun.

CASEG EIRA O LWYDDIANT

Mae'n deg dweud bod Cwlwm wedi bod yn un o'r prif gyfryngau i gadw rhai cannoedd o blant o fewn gofal eu teuluoedd eu hunain. Byddai hyn wrth fodd calon Robert Bevan Ellis, ac ni fu iddo erioed freuddwydio y byddai patrwm gwaith a dylanwad Cartref Bontnewydd nid yn unig yn ymledu drwy Gymru ond hefyd drwy Brydain, a bellach i wledydd eraill.

Ym mis Gorffennaf 1997, daeth atom ferch ifanc o'r enw Heidi Ziwick yn aelod o'r tîm maethu a gwasanaeth Cwlwm. Roedd wedi ei secondio gan Gyngor Sir Ynys Môn. Er mai un o Awstralia yw Heidi, mae iddi wreiddiau Cymreig a pherthnasau yn byw ym Mhen Llŷn.

Gwnaeth gyfrif da ohoni ei hun. Yn Chwefror 1999, aeth i weithio gydag asiantaeth Ewropeaidd, yr *European Children's Trust*. Gellir dweud bod yr hyn a oedd yn ennill iddynt hwy yn golled i Gartref Bontnewydd a byddai hynny'n wir bob gair ond bu'n ennill, hefyd, i Ymddiriedolaeth Cartref Bontnewydd oherwydd ni fedrem gael gwell llysgennad ar ein rhan.

Ei dyletswydd cyntaf gyda'r *European Children's Trust* oedd cynorthwyo gweithwyr cymdeithasol llywodraeth Albania. Y dasg oedd ailsefydlu plant yn ôl gyda'u teuluoedd a lle'r oedd hynny'n amhosibl, darganfod teuluoedd maeth iddynt. Defnyddiodd hithau batrwm a dull y gwasanaeth a sefydlwyd gan Gartref Bontnewydd ac nid oedd yn brin o ddweud hynny. Yn ystod Haf 2000, anfonwyd saith o weithwyr cymdeithasol Albania i Brydain i astudio ymhellach ein dulliau ni o faethu. Bwrdeisdref Richmond, Llundain a Chartref Bontnewydd oedd yn gyfrifol am eu croesawu ac yn westeiwyr iddynt yn ystod y daith. Felly, derbyniwyd diolch personol ganddynt am gyfraniad Cartref Bontnewydd i waith enfawr gofal plant yn Albania a rhoddwyd sylw mawr i hyn yng nghylchgrawn yr *European Children's Trust*.

Mae'n wir dweud y cydnabyddir gwaith arbenigol Cartref Bontnewydd nid yn unig gan Gynghorau Sir yng Nghymru a Phrydain ond hefyd y tu hwnt i'r ynys hon. Wedi cwblhau ei gwaith yn Albania, anfonwyd Heidi ar yr un perwyl i gynorthwyo gweithwyr cymdeithasol Georgia, yn yr hen Rwsia gynt. Yr un fu'r stori yn Georgia.

Bellach mae'r pamffledyn dwyieithog a ddefnyddir yng Nghymru i hysbysebu a hyrwyddo Cyfarfodydd Teulu Cwlwm wedi ei gyfieithu i Rwseg a defnyddiwyd hefyd y llun a wnaed ar gyfer y pamffledyn gan rai o ddisgyblion Ysgol Sarn Bach, Abersoch.

Yng Ngwanwyn 2001, aeth Heidi i gyfandir Affrica i hyrwyddo cynllun Cwlwm a gwaith maethu yn Sierra Leone. Ble nesaf, tybed?

Yma yng Nghymru, Cartref Bontnewydd sydd yn hyrwyddo rhwydwaith cyfarfodydd Teulu. Bu'n arloesol gyda gwasanaeth gofal maeth a chofrestrwyd yr ymgeisydd NVQ llwyddiannus cyntaf gan Gartref Bontnewydd.

Cydnabyddir gan y gwahanol awdurdodau lleol a mudiadau bod y gwasanaeth a gyflawnir gan Gartref Bontnewydd o'r ansawdd gorau a'r safon uchaf, ac mae cysylltiad cadarn rhwng yr uned â'r Gymdeithas Maethu Cenedlaethol. Mae i'r uned faethu yr arbenigedd i ddenu, asesu a hyfforddi gofalwyr maeth.

Mae gan aelodau o'r tîm a'r gweithwyr sesiynol rhyngddynt gymaint â 235 o flynyddoedd o brofiad a medrant wynebu'r ail ganrif yn hanes yr Ymddiriedolaeth yn gwbl hyderus. Mor wir yw geiriau'r Iesu am yr hyn a wneir heddiw gan Ymddiriedolaeth Cartref Bontnewydd – 'Ewch i'r holl fyd.'

20. 'PWY FASE'N MEDDWL'

Tua diwedd y tri degau, dw i'n cofio mynd yn grwt bach yn llaw fy mam i dŷ gwraig a oedd yn aelod yng nghapel Bethel, Tanygrisiau, Blaenau Ffestiniog, a mam yn rhoi cerdyn wedi'i blygu iddi. Y wraig hon, mae'n amlwg, oedd yn gyfrifol am dderbyn rhoddion ariannol i Gartref Bontnewydd oherwydd, ar y ffordd adref, y clywais sôn am y tro cynta' erioed am y plant amddifaid oedd yn byw yno. Y cerdyn wedi'i blygu oedd llyfr casglu'r Cartref, siŵr o fod. Roedd yn amhosibl i mi wybod ar y pryd y byddwn i a'm priod ryw ddiwrnod yn gofalu am y cartref hwnnw.

William Williams a'i frawd, John, oedd y ddau blentyn cyntaf a ddaeth i ofal y Cartref. 'Chydig a feddyliodd William yn 1902 y byddai'n byw i weld dathlu tri chwarter canrif Cartref Bontnewydd.

Fel arall y bu hanes Thomas Charles Jones pan dderbyniwyd ef i'r Cartref yn fachgen deg oed ac yn gwbl amddifad o dad a mam. Pwy f'asai'n meddwl y pryd hwnnw y byddai yntau hefyd yn dilyn ei rieni ymhen tair blynedd.

Yn nechrau'r ugeinfed ganrif anfonwyd un o enethod ifanc y Cartref a oedd yn dioddef o'r clefyd T.B. i gartref-awyr-iach ym Mhenhesgyn, Porthaethwy, ac fe gafodd adferiad iechyd. Ni fedrai fod wedi rhagweld y byddai Penhesgyn yn nechrau'r unfed ganrif ar hugain yn fangre i ddifa miloedd ar filoedd o ddefaid ac ŵyn oherwydd haint y traed a'r genau.

Bwriad gwreiddiol R. B. Ellis oedd sefydlu cartref a fyddai mor debyg ag y bo modd i awyrgylch aelwyd naturiol. Ymhen amser, llwyddodd yr Ymddiriedolaeth a sefydlodd i newid cyfeiriad er mwyn cadw plant o fewn gofal eu teuluoedd eu hunain. Byddai cynllun Cwlwm wrth ei fodd. Mabwysiadwyd cynllun Cwlwm Ymddiriedolaeth Cartref Bontnewydd nid yn unig gan awdurdodau ein gwlad ein hunain ond hefyd yn Albania, a Georgia (yn yr hen Rwsia) a Sierra Leone . . . a lle nesaf? 'Cwlwm' gwerth chweil.

Bellach gwireddwyd geiriau y Prifardd Gerallt:

> Fe ddaw dydd pan fydd ei do
> Yn denu'r miloedd dano,
> A hithau'r faith ddaear fydd
> Yn y brawdol barwydydd.
> Hwn yw'r dydd y gwelir dod
> Gwŷr o'u gwasgar i'w gysgod.

Yn sicr, ni freuddwydiodd Robert Bevan Ellis y byddai'r hedyn bychan a blannwyd yn naear y Bontnewydd yn 1902 yr un fath â'r hedyn mwstard hwnnw yn nameg yr Arglwydd Iesu,' . . . y lleiaf o'r holl hadau . . . ond wedi ei hau, y mae'n tyfu . . . ac yn dwyn canghennau mor fawr nes bod adar yr awyr yn gallu nythu dan ei gysgod'.

> Daw breuddwyd yr aelwyd hon
> Yn aelwyd yn y galon,
> A cheir tân ei chariad hi
> Drwy fydoedd dirifedi,
> Nes bod un 'cartref' hefyd,
> Un drws i bawb dros y byd.

Blwyddiadur, 1898-1902 (Gwasg Methodistiaid Calfinaidd,Caernarfon)

Cartre'r Plant, Richard Thomas (Ymddiriedolaeth Cartref Bontnewydd, 1950)

Cofiant a Gweithiau'r Parch Robert Ellis, John Owen Jones (J. R. Edwards, Caernarfon, 1883)

Crwydro Arfon, Alun Llywelyn Williams (Llyfrau'r Dryw,Llandybïe,1959)

George Whitfield Cyfrol Un, 1970 (Arnold Dallinam, Banner of Truth, Caeredin)

Hanes Methodistiaeth Arfon, W. Hobley (Cyfarfod Misol Arfon, 1924)

The Welsh Builder on Merseyside, John Richard Jones, Lerpwl, 1946

Caernarvon and Denbigh Herald, 1902 (Archifdy Gwynedd, Caernarfon)

Cylchgrawn *The European Children's Trust*, 2000 (64 Queen St, Llundain)

Y Genedl 1898, (Archifdy Gwynedd, Caernarfon)

Y Genedl, Mawrth 1902 (Llyfrgell Prifysgol Cymru,Bangor)

Y Goleuad, Mawrth 1902, (Archifdy Cyngor Gwynedd, Caernarfon)

Y Goleuad, Rhagfyr 1912 (Llyfrgell Prifysgol Cymru, Bangor)

Y Goleuad, Hydref 1999, (Gwasg Pantycelyn,Caernarfon)

Gwalia, 1902 (Archifdy Cyngor Gwynedd, Caernarfon)

Yr Herald Cymraeg, 1902 (Archifdy Cyngor Gwynedd)

North Wales Chronicle, Tachwedd 1911 (Archifdy Gwynedd, Caernarfon)

Adroddiadau Blynyddol Cartref Bontnewydd, 1902-1930.

Atgofion Plentyndod yn y Bontnewydd, 1985, Helen Royle Edwards (Archifdy Cyngor Gwynedd, Caernarfon)

Cartref Bontnewydd, cywydd o waith y Prifardd Gerallt Lloyd Owen, 1977

Y Cartref, Bontnewydd – Cofrestr o'r Plant 1902-1977 (Ymddiriedolaeth Cartref Bontnewydd)

Cofnodion Pwyllgorau Ymddiriedolaeth Cartref Bontnewydd, 1898-1939

Cyfrifiad 1881 (Archifdy Cyngor Gwynedd, Caernarfon)

Traethawd M.A ., *Aspects of Poor Laws and Administration in the Counties of Anglesey and Caernarfon*, Cledwyn Flynn Hughes, 1945, (Llyfrgell Coleg Prifysgol Cymru, Bangor)

Traethawd Doethuriaeth, *Gweithrediad Deddf y Tlodion 1834 yn Undeb Bangor a Biwmaris rhwng 1837 a 1871*, Dafydd Llywelyn Jones, 1995.

Traethawd ar *Gwaun Gynfi*, David M Jones (Undeb Llenyddol Deiniolen, Clwt-y-Bont, 1868)